Collection **guides marabout**

Afin de vous informer de toutes ses publications, **marabout** édite des catalogues où sont annoncés, régulièrement, les nombreux ouvrages qui vous intéressent. Vous pouvez les obtenir gracieusement auprès de votre libraire habituel.

FREDERIC MAISONBLANCHE

Le guide marabout de la **cartomancie**

Du même auteur :

— **ASTROCARD'S,** Editions SMIR, Tourcoing, 1980.
— **La nouvelle astrologie,** Flammarion, 1985
— **Les 12 guides Astrorythmes,** Editions R.M.C., 1985, 1986, 1987.
— **Connaissez-vous par les nombres** (GM 59), 1987.
— **Les 12 signes astrologiques et l'amour** (MS 801 à 812), 1988.

— Travaux astrologiques informatisés groupés sous le nom ASTRO-SCOPE, Paris.
— Prestations télématiques sur MINITEL, groupées sous le titre **VEGA,** avec la collaboration de Bénédicte Grondin (1987).
— Prestations télématiques sur MINITEL, groupées sous le titre RMC (1987).

Nous remercions les Etablissements J.M. SIMON, France Cartes, et la S.M.I.R. à Tourcoing, pour leur aimable collaboration.

Cet ouvrage a paru précédemment dans la collection Marabout Service (n° 547).

© 1983 by s.a. **Marabout**, Verviers, Belgique.

Toute reproduction d'un extrait quelconque de ce livre par quelque procédé que ce soit, et notamment par photocopie ou microfilm est interdite sans autorisation écrite de l'éditeur.

Sommaire

Introduction 7

Propos sur la cartomancie 9
Les sources de la cartomancie 15
L'art et la manière de tirer les cartes 23
L'art et la manière d'interpréter les cartes 25

L'ancêtre : le Tarot de Marseille 31

Le jeu de cartes ordinaires 71

Les grands classiques
Le Grand Etteilla 95
La Sibylle des Salons 143
Le Grand Jeu de Mademoiselle Lenormand 179

Petite encyclopédie des jeux de cartes divinatoires 239

Table des matières 311

Introduction

Homme sensé s'il en fût, écrivant pour ses lecteurs des « livres de bonne foi », cherchant le raisonnable et trouvant le vrai, Michel de Montaigne ne dédaignait pas « les plus subtiles folies qui font les plus subtiles sagesses ».

Lorsqu'on redonne à ces deux mots « folie » et « sagesse » les sens qui étaient les leurs au 16e siècle, on obtient une séduisante définition de la cartomancie que n'aurait certes pas renié ce maître-à-penser : « Comment posséder une connaissance juste des choses, des êtres, des sentiments et des faits afin de mieux préparer son avenir et ce, par le truchement de procédés qui, pour être irrationnels n'en sont pas moins raisonnables ? «

Il ne faut pas, en effet, se méprendre sur la valeur incomparable de cet « art de prédire l'avenir par l'interprétation des cartes », comme le définissent les dictionnaires ! Les morceaux de carton chiffrés et colorés sont des supports irremplaçables pour éveiller l'inconscient et permettre aux intuitions de s'exprimer.

Mais le don de faire parler les Cartes, d'interroger les Tarots et d'obtenir que les images répondent aux questions posées, demande une initiation très proche de celle qui était nécessaire aux Prêtres et Prêtresses des sanctuaires oraculaires de l'antiquité.

Ce guide se propose d'enseigner quelques clés nécessaires et parfois suffisantes pour pénétrer dans le monde fascinant des connaissances que l'on appelle occultes, parce qu'elles sont cachées aux yeux de qui s'en moque. Il s'agit d'un univers où l'on parle un langage étrange puisque les mots sont remplacés par des symboles et les phrases par des images.

Il s'agit d'un jardin « extra-ordinaire » comme le chante le poète, puisque des personnages étonnants, étranges et protéiformes, des animaux et des fleurs — dont les esprits rationnels peuvent s'étonner de leur présence en de tels lieux — dialoguent et racontent des histoires qui ne sont pas à rêver debout. Mais surtout, il est reposant de se promener dans ce monde magique car enfin l'inconscient et le conscient se trouvent et s'associent dans une sorte d'eucharistie, et ce pour le meilleur profit de l'âme, de l'esprit et du cœur d'un Consultant; à condition bien sûr que celui-ci ne refuse pas par orgueil l'existence de puissances qu'il ne connaît pas et qu'il ne peut pas contrôler.

Propos sur la cartomancie

Tout le monde fait de la divination...

L'art de la prophétie repose sur le fait que «tout est dans tout», autrement dit que l'être humain fait partie de l'univers et que l'univers est organisé ou s'organise en fonction de l'être humain

A l'instant où des ressemblances sont remarquées entre les réalités, les circonstances de l'existence, les sentiments et les idées de tout un chacun et les irréalités, les hasards et les extraordinaires qui peuplent l'âme humaine, et que de ces coïncidences des profits psychologiques sont tirés, il y a opération mantique. Alors, qui n'est pas son propre prophète! Qui ne fait pas des prédictions souvent troublantes en expliquant ses rêves, en tentant de lire les lignes de sa main, en parcourant quelque horoscope! Car les inquiétudes du lendemain sont tellement ancrées dans l'âme humaine, les angoisses de la vie et de la mort sont tant enracinées dans un inconscient collectif, qu'il est plus que normal de vouloir connaître et comprendre un futur qui semble écrit quelque part et que des initiés, par quelque don de précognition, semblent capables de déchiffrer.

Au commencement furent des images...

Tout débute par des images. Elles ne servaient nullement de support à quelques acte de divination mais exprimaient une foi, un sentiment, un désir créateur. Ainsi les images-icônes des moines byzantins sont-elles des prières peintes et non les ancêtres d'un tarot divinatoire!

Puis, certains esprits curieux, psychanalystes et psychologues des profondeurs avant la lettre, pensèrent à juste titre que les images, avec leurs couleurs, leurs sujets, leur richesse de geste et de lignes, pouvaient avoir des fonctions plus magiques que sacrées, servir de révélateurs aux intuitions et être de magnifiques supports pour formuler des pratiques sur-naturelles. Lesdites formules les firent alors passer pour des initiés, des détenteurs de puissances et de clés fort utiles pour réveiller le passé, dévoiler le présent et prédire le futur.

Ces mêmes esprits — portés à vouloir expliquer l'inexplicable et à trouver des réponses aux impossibles questions que tout le monde se pose sur la vie, la mort et l'amour — ne se satisfaisant plus des procédés d'alors, du genre anthropomancie*, astragalomancie*, et autre haruspicine*, inventèrent des images plus parlantes à leurs yeux et susceptibles d'exciter et leur fonction intuition et leur don de clairvoyance.

Les devins imaginèrent alors des *signes* dessinés ou gravés sur des tablettes ou sur toute sorte de support ; et comme ce matériau sur lequel les intuitions du devin se réveillent importe peu, du bout de carton à la tâche d'encre, en passant par le marc de café, mille et un supports peuvent être utilisés. Les premiers signes utilisés furent bien entendu des symboles ; c'est ainsi que des objets, des formes diverses, des animaux, des pierres, des fleurs... permirent d'expliquer, en les visualisant abstraitement, les thèmes fondamentaux de l'existence : la naissance, la sexualité, l'amour, la mort...

Les images se couvrirent alors de dessins ; ceux-là même que le Docteur Carl Jung incorpora dans l'inventaire des symboles de sa théorie de l'inconscient collectif.

De l'image à la carte

La cartomancie — car il s'agit de **mantique**, soit faire acte de prophétie et non jouer aux cartes — a une fonction essentielle : prédire.

La cartomancie a le privilège d'explorer les forces intérieures et extérieures qui déterminent l'être humain ; elle le

* **Anthropomancie**
Certains empereurs romains, entre autres, n'hésitaient pas à sacrifier un homme pour pouvoir, à ses derniers moments de vie, connaître de lui l'avenir.

* **Astragalomancie**
Divination par les osselets. Un oracle astragalomantique fonctionnait en Grèce, près de la ville de Boura. Plus tard les osselets, constitués par des vertèbres cervicales, furent marqués de lettres de l'alphabet.

* **Haruspicine**
Divination par les entrailles d'animaux.

fait avec des argumentations qui déroutent la logique et le rationnel, si utiles pour sécuriser les intelligences peureuses d'affronter des champs d'inconscience.

Or, tout moyen qui tente d'expliquer l'origine et la signification des comportements, des humeurs, des sentiments, et qui s'efforce de définir les influences naturelles et surnaturelles — parce que supérieures à celles que l'esprit humain a l'orgueil d'inventer et de comprendre — a une odeur de souffre, celle-là même qui enveloppait les saints et les saintes en état d'ivresse mystique.

«Tirer les cartes» n'est pas anodin malgré la simplicité de la phrase et la suggestion de quelque tireuse de cartes charlatanesque. Il fallait, en effet, trouver une technique où le concret et le palpable du toucher servent de support aux symboles. Or, le rectangle de carton, de bristol voire de papier qu'est une carte, permet aux yeux de voir ce dont l'inconscient a besoin comme alimentation symbolique, et aux mains de sentir une présence palpable, ce qui permet d'établir une communication où le magnétisme n'est pas étranger.

C'est ainsi que , lors d'une consultation de cartomancie, les quatre fonctions: pensée, sentiments, intuition, sensation que C. Jung a analysées comme étant les quatre moteurs — deux rationnels (pensée et sentiment) et deux irrationnels (intuition et sensation) — de toute personnalité, sont en activité. Et cela pour le profit exclusif du consultant qui en tirera parfois autant de résultats bénéfiques que d'une investigation psychanalytique.

Un patient n'accepte pas aisément l'autorité d'un thérapeute. En effet, il n'est jamais agréable de se voir dévoiler ses faiblesses et ses mensonges déguisés en refoulements par des tierces personnes, en l'occurence des psychanalystes!

Or, à l'occasion d'un tirage de cartes, c'est le consultant lui-même qui sollicite l'opération puisqu'un devin digne de ce nom doit refuser de faire de la cartomancie de salon en proposant ses services.

De plus, l'un des merveilleux aspects de la cartomancie réside dans l'utilisation d'un **jeu de cartes.** Sous le couvert d'une occupation sans justifications apparemment sérieuses — jouer — et avec des outils qui ont la subtilité de servir à des usages indignes — des bouts de cartons — un consultant reçoit, de la part d'un devin, des affirmations sur sa personnalité, sa vie, ses problèmes, ce qui, en d'autres circonstances, aurait tout lieu de le mettre en colère ou tout au moins de chatouiller sa susceptibilité.

Les sources de la cartomancie

Comme il en est de la naissance de l'univers et de l'homme, les sources du tarot se perdent dans la nuit des temps. Il en reste un fleuve, charriant mille trouvailles et alimenté par des affluents venus de tous les horizons, qui, vers le XVIIe siècle, fut canalisé pour devenir le Tarot de Marseille, lui-même devenu le tarot-modèle, le jeu-canon de la cartomancie.

Les sources sont indéfinissables car nombreuses et se superposant. Qui peut affirmer que les artistes des cavernes préhistoriques n'incluaient pas quelques messages divinatoires dans leur peinture et que les premières images rupestres ne possèdent pas des messages dignes du meilleur tarot!

• Une des sources sûres est l'alphabet hébraïque. Les 22 lettres de cet alphabet semblent d'ailleurs correspondre aux 22 arcanes majeurs. Puis s'ajoutèrent aux lettres les premiers dessins.

• Une autre source provient de la synthèse des jeux de mots, de lettres et de chiffres, proposée par la **kabbale** — à ne pas confondre avec la *cabale* qui est une sorte de cheval de Troie renfermant toute une bibliothèque de propos, de livres, et de charades ésotériques — qui est voulue comme étant une quintessence, à base de magie et de sacré, de la Bible.

Qui sait si un dieu ne créa pas le monde en jouant avec le premier et le seul vrai tarot, celui qui contient tous les archétypes et les symboles nécessaires et suffisants pour raconter la naissance de l'univers!

• Comme le surnaturel s'impose quand il s'agit de discours sur la divination, une source pour le moins cabalistique a été suggérée par de vieux et illustres mages, experts en Zohar: les Lames du Tarot viendraient «d'**ailleurs**»! Il est en effet écrit quelque part par les Docteurs-es-Tarots que des personnages venus «d'en haut» apportèrent avec eux un livre qu'ils laissèrent sur terre; ce livre contenait des messages de sagesse, de connaissance, et bien sûr des moyens de divination du passé, du présent et du futur.

Et les images du tarot s'enrichirent tout le long de leur itinéraire de caractères, de symboles et de signes qui, pour les uns étaient la signature d'une initiation transcendantale, et pour d'autres — les incroyants dans toute la puissance divinatoire du tarot — n'étaient que des gris-gris suspects ajoutés à d'autres élucubrations.

Mais avant d'en arriver aux images définitives du Tarot de Marseille — qui n'est pas un jeu de cartes bien qu'il puisse servir comme tel — continuons à suivre les méandres et à sonder les affluents du fleuve-Tarot.

• Il y a de l'**Egyptien** dans les arcanes du tarot. Cette affirmation est bâtie sur plusieurs arguments. Les prêtres égyptiens étaient de grand initiés, connaisseurs en tout; magiciens, astronomes, alchimistes, médecins, géomètres... Ils inventèrent les hiéroglyphes afin de correspondre avec leurs dieux, Râ et Ibis en tête.

Les écrits égyptiens sont des modèles pour les meilleures bandes dessinées tant ils recèlent de pictogrammes qui parlent, de bulles qui expliquent, de symboles qui racontent en un dessin ce qui demanderait toute une phrase, ponctuation comprise.

Or, les lames du tarot contiennent nombre de ces hiéroglyphes déformés par les désirs de jouer à l'occulte et par les transmissions de bouche à oreille, donc métamorphiques.

• Il y a de l'**Arabe**, de l'**Indou**, du **Bohémien**... dans les arcanes du tarot. Il y a tant de sources au fleuve-Tarot depuis que la Tour de Babel existe qu'on ne peut que s'y noyer dans cette recherche à vouloir remonter son cours. Mais qu'importent les sources pourvu qu'on ait l'enthousiasme. Et il est vrai que les images du tarot permettent de bénéficier de cet état de grâce divinatoire qui était celui des Prêtres et des Prêtresses des temples oraculaires grecs, lorsque, enivrés par les émanations de substances hallucinogènes, ils étaient «transportés par les dieux» (ευ+θουσιασμε = enthousiasme).

Bien sûr les cartes du Tarot ne contiennent pas — mais

l'idée est à retenir — de Bufoténine* ou d'essence de jasmin et de violette** qui faciliteraient une mise en condition psychochimique, mais elles possèdent le pouvoir d'éveiller l'intuition, d'exciter et d'éprouver la sensibilité, de fasciner, intriguer et exalter l'imagination et surtout de provoquer des visions intuitives, soit de faire naître des connaissances soudaines, spontanées, indépendantes de toute démonstration réfléchie et raisonnable.

• La psychologie des profondeurs a ouvert la voie d'une nouvelle approche de l'irrationnel et a donné droit de cité aux imaginations, aux intuitions et aux visions poétiques. Le Docteur Jung, homme de science, homo sapiens par excellence, en édifiant ses théories de l'inconscient collectif a donné une explication aux origines du Fleuve-Tarot.

Est-ce là l'ultime source, ô combien souterraine, des images du tarot, soit **l'Inconscient du monde...?**
On comprend mieux alors et le fond et la forme des images du tarot.

Le fond et la forme

• **Le fond,** comme celui de tous les arts divinatoires, est de calmer les angoisses humaines et de satisfaire ses curiosités quant à son avenir.
• **La forme** des images a un but essentiel : exciter les intuitions, développer les dons psychologiques et parapsychologi-

* *La Bufoténine* est une sécrétion que l'on trouve sur la peau du crapaud, élaborée par synthèse d'un certain type de champignon que l'animal absorbe. De là l'usage de ces bestioles dans les philtres magiques, sataniques, connus de toutes les bonnes sorcières.

** Des odeurs de jasmin et de violette se dégagent, non seulement des fleurs, mais aussi du corps humain lorsque des phénols, des cétones et autres substances chimiques sont produits par les organes, par exemple, à l'occasion d'émotions. On parle pudiquement d'une «odeur de sainteté» pour expliquer les émanations corporelles, qui fleurent apparemment bon le jasmin et la violette, d'une personne comme sainte Thérèse d'Avila qui, en état d'ivresse mystique, voyait des images paradisiaques et dialoguait avec la Vierge ou quelques Saints.

ques du devin, provoquer un état d'*enthousiasme* comme celui qui emportait la Pythie de Delphes après qu'elle eût jeuné trois jours, mâché quelques lauriers et se fut enveloppée de vapeurs sulfureuses, et permettre une communication entre l'inconscient du cartomancien et l'inconscient collectif d'où sont issus tous les messages.

Les images des tarots : l'itinéraire du processus d'individuation

Les personnes qui s'intéressent à la divination ont à leur disposition toute une collection d'outils.

De l'*acutomancie* (divination par les aiguilles) à la *zoomancie* (divination par les animaux) en passant par la *biastomancie* (divination par les chats-huants) et la *trapézomancie* (divination par les tables)... il existe plusieurs centaines de méthodes d'art divinatoire. Cependant la *cartomancie* est avec l'*astrologie*, la *chiromancie* et la *géomancie* l'un des arts divinatoires majeurs.

Certains devins qui « tirent les cartes », limitent leurs travaux divinatoires à des messages s'occupant du quotidien, plus superficiellement concrets que profondément psychologiques. Tels sont d'ailleurs les desiderata des consultants qui se satisfont des réponses quant à leurs problèmes du moment, notamment amoureux, professionnels et sentimentaux.

L'annonce d'événements plaisants les remplit d'aise tandis que ceux plus tristes, auréolés d'espérance, les laissent encore plus interrogatifs sur leur futur, ce qui est motif à nouvelles consultations.

Or, les cartes du tarot ont une utilité plus noble. Du Tarot au Tao*, les chemins de l'initiation sont identiques. En effet, chaque carte du tarot correspond — pour qui accepte l'idée que tout être humain a droit à une évolution psychologique et spirituelle — à des stations, à l'instar de quelque chemin de croix ou à des moments d'un itinéraire de vie où des remises en question de soi s'imposent.

Le rôle initiatique du tarot a certainement été le but premier de l'œuvre. Etre capable d'entrer dans un monde de

* **Tao.** *Lao-Tseu,* vers le 6e siècle avant J.C., fonda une secte qui adorait un créateur du nom de Tao. Cette religion — le taoïsme — invite ses adeptes à suivre une route — d'où le nom de Tao — qui conduit vers une éternité en passant par des étapes.

connaissance, être en possession d'un savoir nouveau qui confère à celui qui en est maître une puissance surhumaine, tels sont les deux vouloirs de tout être humain. Pour naître à cette nouvelle vie et pour recommencer à vivre, des rites initiatiques sous forme d'épreuves de courage, des pauses de recueillement et de solitude sont nécessaires. Une obéissance aveugle à un Maître initiateur, parfois cruel comme cela existe encore dans certaines peuplades primitives, a heureusement fait place à des baptêmes moins sanglants.

Mais le principe de l'initiation reste le même, soit : renaître nu, accepter un dépouillement symbolique, franchir des obstacles, persévérer malgré les épreuves, recommencer des cycles d'apprentissage et d'études, divorcer afin de réapprendre l'amour, se reconnaître véritablement et entreprendre enfin les missions qui sont réservées après avoir maîtrisé ses instincts et ses énergies.

Or, ces images du tarot permettent de visualiser cette marche et démarche initiatique d'un consultant, et un devin doué et compétent peut expliquer dans quel espace de temps celui-ci se trouve dans son développement psychique.

• Sur la route de son individuation, un consultant est d'abord le Mat...

Le non-initié est illustré par la carte sans numéro qui a nom le **Mat**.

En fait, cette carte est un miroir dans lequel le consultant se regarde. Et il se voit fol et errant, les yeux au ciel, le dos marqué d'un bâton grossier auquel est suspendu un maigre baluchon. Et tel est le patient qui n'a pas accepté le principe que son évolution personnelle commence par une investigation psychanalytique. Puis au fil du processus du développement, les cartes parleront leur langage de symboles.

• Le néophyte retournera l'arcane n° 1 — le **Bateleur** — et cette rencontre signifiera que la route d'une initiation est ouverte.

Le Bateleur est ce magicien au chapeau haut en couleurs et en forme, qui frôle l'infini, qui connaît les tours, trucages et escamotages les plus astucieux.

• Et enfin, lorsque le Consultant aura atteint son « nouveau centre », son univers personnel, il retournera **Le Monde**, ultime et dernière carte.

L'art et la manière de tirer les cartes...

• Il n'y a pas de bonnes ou de mauvaises méthodes pour faire parler lcs cartes. Chaque cartomancien possède la sienne qu'il a peaufinée au fil de ses consultations. Certains préfèrent les jeux de 32 cartes, d'autres utilisent davantage de cartes et d'autres, enfin, se contentent de moins.

Qu'importe également le cérémonial : les formes en croix, en cercle, en arc de cercle, en carré... ont chacune leurs adeptes. De même, le tirage des cartes peut se faire selon les intuitions de chacun. Un devin pourra éveiller son intuition et ses dons avec quelques cartes, un autre aura besoin d'un plus grand nombre.

Il n'est pas interdit de brasser, de mélanger, de battre les cartes et la main droite a autant de puissance que la main gauche. Il n'y a pas d'absolu et d'affirmatif dans les techniques et il est même conseillé de laisser jouer sa propre méthode qui s'imposera au gré du temps. C'est ainsi que le meilleur cérémonial sera certainement celui que le cartomancien aura inventé et élaboré dans l'orfèvrerie de son inconscient.

• Une consultation ne doit pas être proposée ou provoquée. Le cartomancien doit être sollicité et non demandeur.

• Comme lors d'une séance de tests psychologiques, le cartomancien doit être à l'écoute de son consultant. Il s'agit en effet d'un travail psychique dans lequel s'associent les quatre fonctions : pensée, intuition, sentiment et sensation. Chaque mot, chaque lapsus, chaque manifestation affective, chaque geste doivent servir au cartomancien-psychologue pour mieux interpréter les messages des cartes.

• Une consultation doit se faire dans un endroit calme. L'ambiance est essentielle pour que les messages des cartes soient réceptionnés dans les meilleures conditions par le devin. Un téléphone, des bruits ambiants, des lumières trop vives sont autant de handicaps pour une bonne consultation.

• La position des cartes — à l'endroit et à l'envers — peut avoir pour certains cartomanciens une importance capitale basée sur la loi des contraires ; pour d'autres, l'endroit ou l'envers n'ont aucune importance ; pour certains enfin, l'envers marque un léger retard dans les interprétations. Encore une fois, ce n'est pas le petit détail dans le cérémonial qui est important mais la synthèse de tous les messages réceptionnés par le devin.

L'art et la manière d'interpréter les cartes...

Chaque arcane possède un thème mais ce thème possède à son tour différentes approches. Et là est une difficulté pour le devin. Ainsi la carte l'Hermite — arcane n° 9 — qui représente un homme plutôt âgé, porteur d'une lanterne et d'un bâton — comme Diogène — ressemble fort à un moine ou autre anachorète, en froc ou en bure. La carte donne un message d'austérité, de célibat, d'isolement et de silence. D'où une interprétation au premier degré qui annonce au consultant quelque présence taciturne, des événements lourds de silence, des situations tristes à pleurer. Puis cette carte annonce en un deuxième degré des éclaircissements, des solutions dévoilées et également une certaine force de frappe — le Bâton — qui permettra au consultant de sortir de l'obscurité de son existence.

Comment faire le choix entre ces diverses propositions?

• Certaines méthodes offrent une possibilité de sélection facile et relativement arbitraire par la **position droite** ou **renversée** des cartes. Selon la logique de ce qui est d'aplomb — le droit — et de ce qui est sens-dessus-dessous — le renversé — le devin prendra les messages ou positifs ou négatifs au vu du port de la carte.

• D'autres méthodes considèrent les **relations des cartes entre elles.** Il s'agit d'un processus qui nécessite la connaissance d'un tableau des associations et demande au cartomancien des opérations intellectuelles de combinaison, de cadrage, de désaccord et de connexion des messages des cartes. Cette technique permet, lorsque le devin est doué en linguistique, en psychologie et bien sûr en cartologie, des interprétations tout en nuances, des commentaires tout en subtilités.

• Une dernière méthode, la plus équilibrée dans la mesure

où des extrêmes sont évités, consiste à considérer qu'un message contient des arguments **pour** et des arguments **contre** et que, comme cela se passe d'ailleurs dans l'existence, le blanc n'est jamais tout à fait blanc et le noir n'est jamais tout à fait noir.

Cette dernière idée peut être illustrée par un cercle séparé en deux parties — une noire et une blanche — par une ligne ondulante, chacun des demi-cercles contenant une pastille de la couleur qui n'est pas la sienne. Ce cercle-mandala est d'ailleurs le logos de la pensée philosophique chinoise.

Ce dessin invite à la sagesse et définit le principe premier lors des interprétations des messages d'un jeu de tarot, soit la recherche d'un juste milieu et un souci d'éviter l'affirmation des absolus dans un sens ou dans l'autre.

- **Le danger du transfert**

Tout devin, tout cartomancien fait de la projection sans le savoir. En effet, à l'occasion d'une consultation, il ou elle projette inconsciemment ses sentiments, tout en expliquant les messages des cartes à son consultant. Autrement dit, il ou elle attribue aux cartes des sentiments, des idées, des messages qui sont les siens au moment de la consultation. Et le consultant, par ce processus de transfert auquel personne n'échappe et qui est trop bien connu de tous les psychologues et les graphologues entre autres, se trouve nanti de messages qui ne le concernent pas puisqu'ils intéressent le consulté.

Inversement, le cartomancien peut parfois «se retrouver», selon la formule, chez son consultant, et les coïncidences de situations, de sentiments peuvent parfois être si étroites que le consultant ne pourra qu'avouer «comme c'est vrai tout ce que vous me dites!» alors que le cartomancien n'aura rien «deviné» mais simplement décrit ses propres états d'âme et annoncé ses propres espérances.

Un parfait exemple de ce phénomène de projection est donné par cette réflexion de Marcel Proust : «En étant amoureux d'une femme, nous projetons simplement sur elle un état de notre âme».

Le même transfert se produit lorsque le consultant est aussi le cartomancien. Le cumul des deux fonctions favorise encore plus les pieux mensonges et toutes les excuses de la terre devant tel message de faiblesse, de dissimulation et d'infidélité... Là est donc un danger.

Les différents jeux de tarot

Le tarot de Marseille

L'étalon de tous les tarots

Les recherches consacrées aux sources de la cartomancie ont conclu que les images des différents tarots ont pour origine le Tarot de Marseille. Il est l'ancêtre, celui par qui les meilleures intuitions arrivent.

Les douze arcanes majeurs mettent en œuvre tout un monde de symboles qui possèdent des puissances « magiques » insoupçonnables. Les enseignements contenus dans ces cartes sont infinis et les meilleurs des livres, les plus profondes explications ne dévoileront jamais qu'une infime parcelle des vérités et des messages qu'ils contiennent.

Le problème des origines du Tarot de Marseille qui chagrine les esprits par trop explicateurs de toute chose n'a qu'une importance secondaire. Qu'il soit la quintessence de toutes les images pieuses, des iconographies moyenâgeuses et des dessins symboliques chrétiens, qu'il soit le suc ésotérique de toutes les images profanes des peintres et artistes de l'Inde, de Chine, d'Egypte, qu'il soit enfin le résultat d'un bouche à oreille des bohémiens et la retranscription des théories de Thot-Hermès Trimégiste... ne donnera pas la date de naissance du Tarot.

Car le tarot ne peut se situer dans le temporel, c'est pour cela qu'il est immortel et que sa présence est constatée depuis des siècles.

La Tarot de Marseille est devenu l'ancêtre, le tarot-modèle parce qu'il est resté dans une tradition de simplicité et de naïveté. Il n'est pas esthétiquement beau ; des sophistications de couleurs, de traits n'ont pas été recherchées. Il est vrai parce que sans séduction excessive. Mais toute cette bonhomie cache moult malice, car c'est dans la simplicité que les secrets se dissimulent.

Il est certain que nombre de cartomanciens et de tarophiles ont donné leur nom et leur surnom à des jeux de cartes ; soit pour le plaisir de l'invention, soit parce qu'une force intérieure oblige l'esprit à s'interroger, à trouver des clés pour pénétrer dans les labyrinthes de l'inconscient et de l'invisible. Mais en fait, ces inventeurs n'ont pas créé le tarot ; ils n'ont pu que le développer, le perfectionner, le rendre plus facile d'accès ; certains l'ont cependant détérioré...

Le langage des cartes du Tarot de Marseille peut être compris par tous les hommes ; il est comme le dialecte d'une langue universelle, fondé sur des objets, des personnages, des éléments premiers, visibles pour tous et élémentaires dans leur usage. Bien sûr, il a fallu juxtaposer des mots, des courtes phrases pour aider la compréhension des messages, mais même ces mots sont à double sens !

Alors où sont les vrais messages des cartes du Tarot ? Peut-être sont-ils à découvrir dans les plis des manteaux, dans les ourlés des coiffes, dans les mèches des cheveux !

Qui sait si les premiers imagiers n'ont pas incorporé dans des figures plaisantes quelque message que seuls des initiés pouvaient déchiffrer ! Le but initial qui consistait à coder des communications réservées à des privilégiés a été oublié, mais reste le principe.

Si, par simple jeu, les images sont retrournées, il n'est pas impossible que les imaginations curieuses et inspirées ne trouvent de nombreux sujets confondus, comme dans certains tableautins où les enfants doivent découvrir « où est caché l'animal, l'objet, le personnage... » Il y a autant à découvrir dans une image du Tarot de Marseille que dans une des planches du test de *Rorschach* ! Et à l'instant où un sérieux a été accordé par des psychologues appliqués à des taches d'encre, ce même sérieux peut être donné aux lames d'un Tarot qui contiennent autant de substances capables de provoquer des « psychodrames » et surtout susceptibles d'éveiller l'affectivité, la sensibilité et l'intuition.

Illustrations et interprétations des cartes du Tarot de Marseille

Chaque arcane du Tarot de Marseille possède un symbolisme particulier. Il explique au consultant, avec son langage de dessins et de «mots indirects», un moment de son existence, une petite partie encorè indéterminée mais déjà prévisible de sa vie.

Les 22 arcanes majeurs

Il y a ainsi 22 arcanes majeurs dans le Tarot de Marseille qui sont comme autant de *mots* dont il faut définir l'étymologie symbolique et la filiation ésotérique et qui sont à replacer dans la *phrase* divinatoire.

Un cérémonial faisant intervenir les 22 arcanes demande au devin la construction d'une phrase oraculaire de 22 mots; ce qui représente des aptitudes proustiennes, De plus, les 22 cartes peuvent se combiner entre elles jusqu'à atteindre un chiffre infiniment grand. C'est pourquoi, dans un souci de modestie, l'infiniment petit a été préféré et les cartes ne font l'objet que d'explications succinctes.

• Le descriptif des messages est appelé **Tableau des messages**

Carte n° 1

Le Bateleur

Symbole de tout commencement.

Droite : autonomie et émancipation de tout préjugé.
Création — diplomatie — facilité de combinaisons — grande confiance en soi — initiative — présence d'esprit — recherche de perfection spirituelle — tendance à la dispersion — volonté.

Renversée : absence de scrupules — discussions — disputes — erreur — illusion — opérations malencontreuses.

Carte n° II

La Papesse

Symbole de modestie, de discrétion et de méditation.
Représente l'épouse du consultant.

Droite : assurance de triompher — beauté des sentiments — capacité d'analyse — intégrité — patience toujours récompensée — sincérité.

Renversée : passivité néfaste voire résignation.

Carte n° III

L'Impératrice

Symbole de l'intelligence supérieure et également symbole de richesse et de fécondité.

Droite : c'est la carte de l'action. Compréhension — coquetterie — équilibre entre intelligence et sagesse — fécondité et bonheur — influence bénéfique — pensée féconde et créatrice.

Renversée : désaccord — litige — prodigalité — problème mal compris.

Carte n° IV

L'Empereur

Symbole de l'ordre et de la justice. Cette carte représente également la force et le pouvoir.

Droite : générosité — perfectionnement spirituel — sens pratique — volonté de réalisation.

Renversée : calculateur — despote — esprit dominateur dans le but d'influencer autrui — manque d'idéalité — masculinité brutale.

Carte n° V

Le Pape

Symbole de sagesse.
C'est peut-être un directeur de conscience, un médecin de l'âme.

Droite : affection solide — apaisement d'un tourment — autorité — protection extérieure — secret dévoilé — stabilité.

Renversée : matérialisme — retard dans les projets.

Carte n° VI

L'Amoureux

Symbole de l'union et de l'épreuve. Antagonisme entre le bien et le mal.

Droite : amour des belles formes — choix dans le domaine affectif — hésitation — mariage — sentimentalité.

Renversée : signification du chaos. Fausses promesses — infidélité — obscurité — rupture d'une relation amoureuse — séparation du couple.

Carte n° VII

Le Chariot

Symbole de victoire et de triomphe.

Droite : ambition — avancement — évolution — grande activité et rapidité dans les actions — honneurs — protection assurée — réussite par mérite personnel — situation enviable — succès — victoire sur soi-même.

Renversée : confiance en soi excessive — danger d'accident — ennuis de famille — inconduite — problèmes personnels.

Carte n° VIII

La Justice

Symbole d'équité.
Cette carte peut représenter un homme de Loi, un fonctionnaire.

Droite : clarté de jugement — réussite dans les affaires.

Renversée : condamnation injuste — ennuis de santé — déception — sécheresse.

Carte n° VIIII

L'Ermite

Symbole de prudence et de méfiance.

Droite : il peut s'agir d'un médecin expérimenté, d'un philosophe, d'une personne pouvant donner un conseil. Célibat — esprit profond — repli sur soi-même — recherche de spiritualité — solitude dans un sens général.

Renversée : avarice — découragement — misanthropie — pauvreté — scepticisme.

Carte n° X

La Roue de la Fortune

Symbole de la fortune mais avec des alternatives de hauts et de bas, la roue étant en perpétuel mouvement.

Droite : c'est la meilleure carte du jeu. C'est la carte du destin propice, de la chance saisie au vol. Elle signifie aussi puissance, volonté, heureux changement de fortune, progression et réussite.

Renversée : elle peut être un avantage passager ou un changement de fortune en mal.
Fortune et retard — instabilité.

Carte n° XI

La Force

Symbole de la force spirituelle, morale, des âmes fortes.

Droite : elle indique une puissance de conquête, une volonté de vaincre.
Réussite par le travail à force d'énergie, de volonté et d'action.
Activité intense — résultats favorables.

Renversée : cruauté — perte de travail — vantardise — victime des forces supérieures.

Carte n° XII

Le Pendu

Symbole du sacrifice, de la discipline et de la soumission aux lois.

Droite : asservissement au devoir et non aux passions — désintéressement — élévation spirituelle — oubli de soi-même — sacrifice consenti.

Renversée : amour non partagé — illusion — manque de détermination — mirage — projets irréalisables — sacrifice imposé — utopie.

Carte n° XIII

La Mort ou carte sans nom

Symbole de changement radical. Egalement synonyme de vie nouvelle d'un niveau supérieur, ce qui pourrait être la mort.

Droite : arrêt de quelque chose — ascétisme — deuil — dispersion — fin d'un amour, d'une liaison, d'une amitié — fin nécessaire — héritage — initiation — lucidité — maîtrise — mélancolie — mort initiatique — renouvellement — spiritisme — transformation.

Renversée : déception — échec — fatalité — maladie grave — ruine.

Carte n° XIIII

La Tempérance

Symbole des changements de la vie, des saisons.

Droite : apaisement d'esprit — évolution — esprit de conciliation — facilité d'adaptation — initiative — souplesse — stabilité.

Renversée : désaccord — divorce — légèreté de caractère — nature instable — oppositions — prodigalité.

Carte n° XV

Le Diable

Symbole : attraction des sens, le vice et la vertu, le bien et le mal.

Droite : il peut s'agir d'une personne possédant un magnétisme sexuel.
Luxure — perversion — succès et conquête amoureuse obtenus souvent par des moyens de pression.

Renversée : affaires louches — abus de confiance — bouleversements — désordre.

Carte n° XVI

La Maison-Dieu (ou La Tour)

Symbole des ambitions démesurées, du châtiment, de l'orgueil, de la rupture d'un équilibre.

Droite : accaparement — accident — châtiment — dogmatisme étroit — héritage — matérialisme — mégalomanie — poursuite de chimères.

Renversée : coup de théâtre — oppression — servitude — projet arrêté.

Carte n° XVII

L'Etoile

Symbole : renaissance spirituelle, perfection issue de trois rayonnements : l'espoir, l'amour et la vérité.

Droite : charme — culte du beau — esthétique — influences astrales — intuition — jeunesse — pressentiments — protection occulte.

Renversée : réussite.

Carte n° XVIII

La Lune

Symbole de dangers.

Droite : caprice — doute — faux-savoir — impressionnabilité — mystère — situation équivoque.

Renversée : prudence dans les initiatives et les projets.

Carte n° XIX

Le Soleil

Symbole de la paix et de la félicité, symbole également de la vie psychique.

Droite : désir de paraître — idéalisme — gloire — goûts et talents artistiques — harmonie totale — grandeur d'âme — rayonnement — réussite — triomphe.

Renversée : instabilité — susceptibilité — vanité.
Elle peut également indiquer que tout finira par s'arranger.

Carte n° XX

Le Jugement

Symbole de résurrection, de changement, elle symbolise également l'examen de conscience du consultant.

Droite : équilibre — relèvement — renaissance — renouveau — renommée — réputation — stabilité.

Renversée : erreur sur soi-même.

Carte n° XXI

Le Monde

Symbole : cette carte symbolise l'aboutissement de l'initiation, la métamorphose de l'initié.
Elle représente le consultant ou la consultante.

Droite : achèvement — inspiration — maîtrise — puissance — récompense — réussite complète — succès et mondanités.

Renversée : difficultés — encombrement — insuccès — sacrifice.

Carte n° XXII

Le Mat (ou Le Fou)

Symbole de l'inconscience, de l'innocence.

Droite : déséquilibre — désordre — extravagance — création et imagination — inaptitude à se diriger — ignorance — insécurité — irresponsabilité — passivité — perte du libre-arbitre — vanité.

Renversée : complications — gâchis — incohérence — folie.

Les arcanes mineurs

Le Tarot de Marseille permet également d'obtenir des « messages à long terme ». Pour ce faire, 56 arcanes dits mineurs, qui s'ajoutent aux 22 arcanes majeurs ont été classés en quatre familles.

♣ **Bâtons** — correspondant aux *Trèfles* de jeu de cartes ordinaires. Ces arcanes mineurs s'intéressent à l'activité, aux nécessités matérielles, à la profession et sont sensés appartenir au symbolisme du Feu.

♥ **Coupes** — correspondant aux *Cœurs* — s'intéressent à la vie sentimentale et appartiennent au symbolisme de l'Eau.

♠ **Epées** — correspondant aux *Piques* — s'intéressent au physique, à l'énergie et appartiennent au symbolisme de l'Air.

♦ **Deniers** — correspondant aux *Carreaux* — s'intéressent aux finances et appartiennent au symbolisme de la Terre.

- Chaque famille est représentée par un Roi, une Dame (ou Reyne), un Cavalier, un Valet et dix cartes numérotées.
- Chacune de ces cartes a un rôle d'amplificateur et renforce les interprétations des arcanes Majeurs.
- Le tableau ci-dessous, à seule fin de visualiser rapidement les significations, résume **les principaux messages de ces arcanes mineurs.**

L'as	— aspect positif	— apport de réussite et de maîtrise
Le deux	— aspect négatif	— rivalité, opposition
Le trois	— aspect positif	— protection
Le quatre	— aspect positif	— apport de réussite
Le cinq	— aspect positif	— renouveau
Le six	— aspect négatif	— difficulté

Le sept — aspect positif — réussite
Le huit — aspect négatif — danger
Le neuf — aspect positif — aide
Le dix — aspect positif — triomphe

Un Roi ou **Roy** : idée de supériorité sur les plans professionnel et financier.
Une Reine ou **Reyne** intéresse les plans sentiments et finances.
Un Cavalier intéresse généralement les plans professionnel et financier.
Un Valet intéresse le plan sentimental, les plans financier et professionnel.

• Voici, à titre documantaire, **quelques interprétations**

Roy de Coupe (Cœur)

Message de prudence. Attention à des compromissions, des malhonnêtetés. Mais aussi symbole du Père et de l'Epoux courageux.

Reyne de Deniers (Carreau)

Message de mondanité, d'opportunisme, d'hésitation.
Symbole d'une femme courtisane plus que sérieuse.

REYNE DE DENIERS
THE QUEEN OF MONEY

CAVALIER D'ÉPÉE
THE KNIGHT OF SWORDS

Cavalier d'Epée (Pique)

Message d'aventure, d'obstacle surmonté.
Symbole de l'avocat, de l'homme défenseur et héroïque.

VALET DE BATON
THE KNAVE OF CLUBS

Valet de Bâton (Trèfle)

Message de servilité, de protection. Annonce d'un courrier, d'un petit voyage.

Le tirage des cartes

La croix

Face à face, le cartomancien et le consultant.

• Le cartomancien mélange les 22 arcanes majeurs. Puis le consultant choisit un nombre inférieur à 23.

• Le cartomancien compte autant de cartes que le chiffre donné par le consultant l'indique, et met de côté la dernière.

Puis le devin ramasse les cartes, les mélange et recompte 3 fois, en se servant du même chiffre donné par le consultant et en réservant la dernière.

Quatre cartes sont donc mises «en réserve» par le devin.

• Un petit calcul est nécessaire pour extraire du lot des cartes une cinquième arcane.

Chaque carte sortie possède un numéro. L'addition des 4 numéros donne un *total* qui représente le numéro de la cinquième carte qui est à sortir.

Si le total est supérieur à 22, une nouvelle addition doit être faite avec les 2 chiffres qui composent le nombre. Par exemple, le premier total est 35; le deuxième total sera : 3 + 5 = 8.

La cinquième carte à sortir du jeu est alors celle qui porte le numéro 8.

Si le numéro 8 est déjà sorti, il faut considérer qu'il y a alors une superposition des interprétations et seules 4 cartes apparaîtront dans la disposition.

• Le devin se trouve donc en possession de 5 cartes qu'il dispose en croix.

Illustration de la disposition en croix avec l'ordre du positionnement des cartes

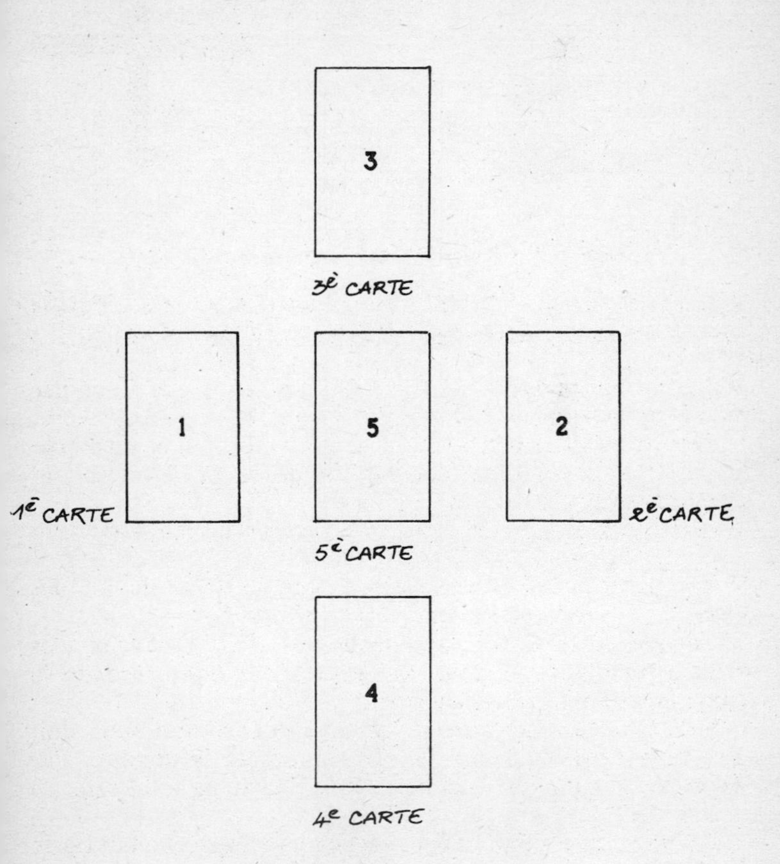

La forme de la croix permet de projeter les messages obtenus par les cartes dans l'espace de vie du consultant.

Le tableau du **symbolisme de l'espace** ci-après visualise les domaines qui contiendront les interprétations.

Tableau du symbolisme de l'espace

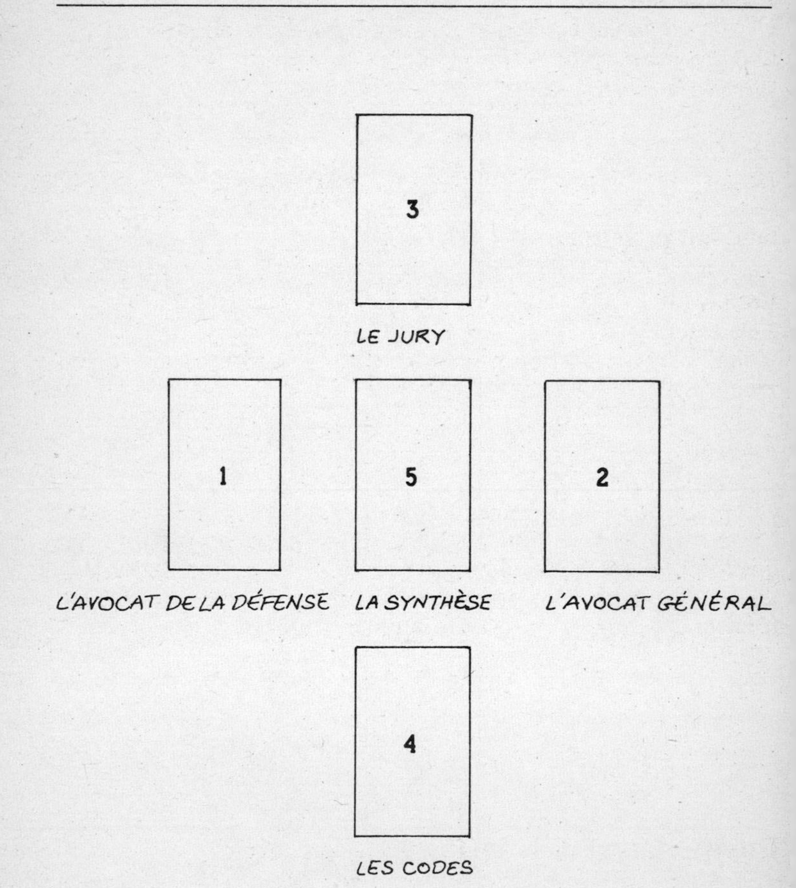

A gauche (1)
Carte du consultant.
L'avocat de la défense.
Ce qui aide et protège le consultant.
Ses aptitudes, ses atouts, ses qualités mais aussi ses faiblesses, qui font souvent l'objet de circonstances atténuantes.

A droite (2)
L'avocat général.
Ce qui est négatif. Ce que le consultant doit craindre.
Quels sont ses ennemis, les dangers qu'il court, tout ce qui est contre ses projets et ses espérances.

En haut (3)
Le jury et le juge qui délibèrent, soit l'esprit, la décision, l'objectivité, la discussion, enfin les résolutions que le consultant doit prendre.

En bas (4)
Les codes.
Voilà ce que le consultant risque matériellement et concrètement. Voilà ce qui peut lui arriver...

Au centre (5)
La synthèse.
Ce qui permet de présager le futur, de calculer les résultats.
Cette carte n° 5 est en fait celle qui possède la réponse à la question posée. Mais elle ne parlera qu'en fonction de l'art et du don du devin, car cet arcane est l'élément du jeu divinatoire qui focalise toutes les influences.

Interprétation de la méthode de la croix

Le cartomancien interprète les cartes en fonction de deux collections de messages :

- les messages des arcanes majeurs

→ **Tableau des messages.**

- les messages provenant du positionnement des cartes dans la forme de la Croix : haut, bas, gauche, droite, centre

→ **Tableau du symbolisme de l'espace.**

Un « tirage de cartes » à titre d'exemple

Détail des positionnements des cartes : leur valeur, la valeur des espaces haut, bas, droite, gauche, centre.

Le cartomancien et le consultant, au fil du cérémonial d'une consultation, ont sorti et positionné 5 cartes selon le schéma suivant.

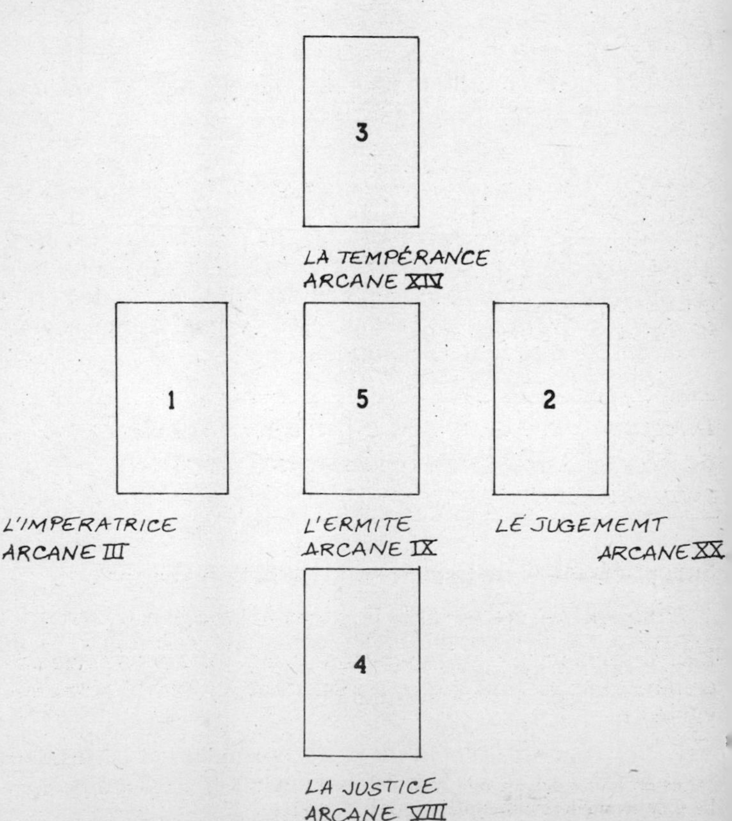

L'Impératrice
Arcane III positionné à gauche :
L'avocat de la défense, soit les aides, les protections...

Le Jugement
Arcane XX positionné à droite :
l'avocat général, soit les ennemis, ce qui est contre...

La Tempérance
Arcane XIV positionné en haut :
le juge, le jury, soit les délibérations, les discussions...

La Justice
Arcane VIII positionné en bas :
les codes, soit les risques matériels, ce qui peut arriver «réellement»...

L'Ermite
Arcane IX
(3 + 20 + 14 + 8 = 45
4 et 5 = 9)
positionné au centre :
la synthèse, les résultats.

Interprétations de la rencontre des cartes du Tarot de Marseille avec les domaines définis par le symbolisme de l'espace

---

Supposons que le consultant ait posé la question suivante :

Vais-je me marier avec la personne que je connais?

Le cartomancien en possession d'un «tirage de cartes» comme celui de l'exemple pourra faire l'interprétation suivante* :

* Les messages des arcanes sont à recueillir dans le Tableau des messages. Ils sont sommairement expliqués dans l'exemple.

1re carte, l'Impératrice (Arcane nº III) à gauche

La carte est symboliquement féminine, d'où des idées de compréhension, de charme, de féconditité. Mais le message est aussi à la réflexion et à la connaissance, car le thème de la carte étant à la «pénétration», il est suggéré une fertilité de pensée, des créations en tout genre.

Mal accompagné, l'arcane propose des brouilles, des discussions qui n'en finissent plus sur tout et sur rien, donc des retards.

Or, cet arcane l'Impératrice, se trouve «à gauche», là où l'avocat de la défense affirme, plaide pour, aide et protège. La première phrase de l'interprétation peut donc être :

«... Vous êtes assuré de réussir vos projets de mariage dans la mesure où cette éventualité vous est favorable. De plus, vous serez aidé pour réussir cette espérance par des personnes de très bon conseil, pourquoi pas une femme ayant une certaine autorité...».

2e carte, le Jugement (Arcane nº XX) à droite

La carte parle d'elle-même. Les messages parlent de stabilité et d'équilibre. Le consultant est informé qu'il se trouve dans une période de renaissance et de rétablissement de toutes ses énergies. Un message de renommée, de rayonnement et de «publicité personnelle» s'y ajoute. Mais surtout, cet arcane demande au consultant de se juger lui-même,de comparer ses capacités et les réalités, de faire une sorte d'examen de conscience.

Or, cet arcane le Jugement, se trouve «à droite», là où l'avocat général explique les dangers et les faiblesses du consultant. La carte expose ce qui est contre les projets.La deuxième phrase de l'interprétation pourrait être :

«... Il n'est pas impossible que ce mariage — puisque telle est la question du consultant — apporte un équilibre que le consultant ne possédait pas. De plus, cette union ne sera pas sans permettre au consultant une élévation à laquelle il n'est peut-être pas insensible. En fait, il n'y a rien de défavorable à ce projet, puisque d'une manière générale, la carte le Jugement est de bon augure, mais si le mariage échoue, le consultant ne

devra s'en prendre qu'à lui-même en fonction de ses incompétences, de ses erreurs et de ses vantardises... ».

3e carte, la Tempérance (Arcane no XIV) en haut

La carte donne un message de renouveau et de transformation, notamment dans le cadre et le style de vie. Avec cette information importante que le « transvasement » — comme l'illustre si bien l'Ange de la carte faisant passer un liquide d'un vase dans l'autre — est en faveur d'un épanouissement et d'une qualité d'existence supérieure. Attention cependant à des excès de facilité, à trop d'instabilité et à une attitude de laisser-aller.

Or, cet arcane, la Tempérance, se trouve « en haut » là où le Juge et le Jury délibèrent, discutent, examinent, et où les preuves et les circonstances sont analysées. La troisième phrase de l'interprétation pourra donc être :

« ... Le projet de mariage sera très certainement favorable au consultant; cette affirmation confirmant d'ailleurs ce qui a été dit lors de l'analyse de la première carte.

Le consultant verra tout son système de vie amélioré. Mais le conseil est à l'examen de chaque détail qui entrera dans l'élaboration de cette période de renouveau, car tout semblera trop facile et c'est là où se glisseront des pièges, des imprévoyances, des dépenses inconsidérées... »

4e carte, la Justice (Arcane no VIII) en bas

Cette carte contient des messages précis : présence d'homme de Loi, fonctionnaire, idée de contrat et de conformité à des lois et des principes.

Inversement, elle suggère, lorsqu'elle est en mauvaise compagnie, la perte d'un procès voire même une tentative d'escroquerie. Or, cet arcane, la Justice, se trouve installé « en bas », là où un message avant-dire-droit peut être interprété.

La quatrième phrase de l'interprétation, compte tenu de l'ambiance générale positive du jeu, pourra être ainsi libellée :

«… Le projet de mariage semble pouvoir se concrétiser puisque l'on parle de fonctionnaire et de contrat. Il est à prévoir une cérémonie en bonne et due forme, des contrats dans les règles de l'art… ».

5e carte, l'Ermite (Arcane no IX) au centre

La carte donne un message de prudence et de discrétion. Elle invite même à l'austérité et à la chasteté ! L'Ermite peut être un médecin, un conseiller psychologique, pourquoi pas ce devin que le consultant est en train d'écouter. Que vient faire cet Ermite dans la synthèse et la consultation de l'Oracle ?

Une cinquième phrase est proposée qui englobe les quatre premières, comme le ferait un paraphe protecteur entourant une signature.

«… Certes le projet de mariage semble pouvoir se réaliser mais avant de dire « oui », il y a un mystère à élucider, aussi bien du côté du consultant — peut-être avez-vous dissimulé quelques-unes de vos intentions ? — que du côté de l'autre personne — connaissez-vous parfaitement bien sa vie passée ?

Avant de se risquer dans un mariage définitif, que le consultant prenne quelque temps de retraite et de réflexion. Une certaine solitude lui permettra de se détacher de contingences trop matérielles et trop passionnelles. Après ce moment de sagesse, qu'il décide « en pleine connaissance de cause » car son jugement ne sera pas erroné. »

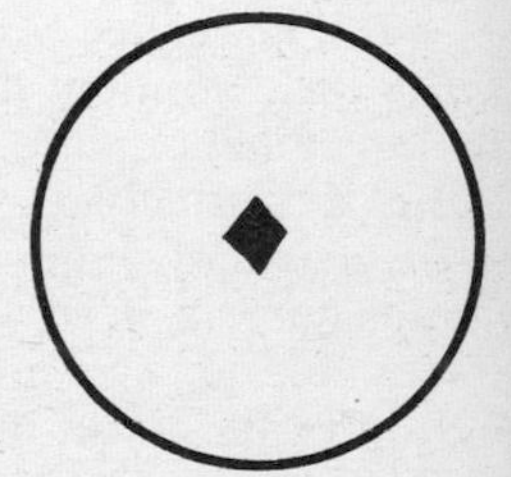

L'horloge

• Le cartomancien mélange les 22 arcanes majeurs et le consultant tire *12 cartes* qui sont disposées par le devin comme les 12 heures d'un cadran d'horloge.

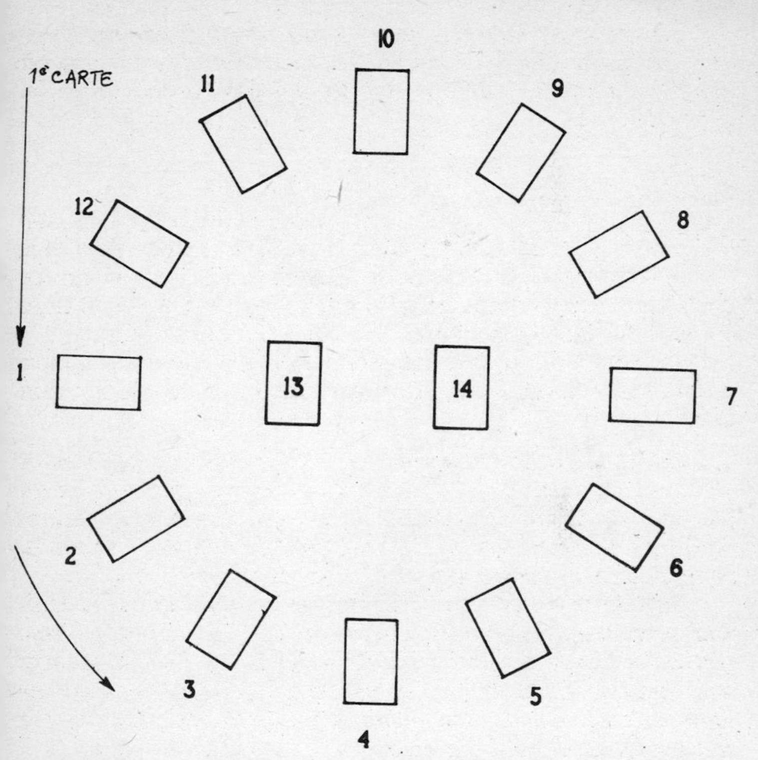

• La première carte doit être disposée à 9 heures, qui est traditionnellement la première Maison, selon l'astrologie.

Les autres cartes doivent être disposées en descendant, donc dans le sens contraire aux aiguilles d'une montre.

• Parmi les dix arcanes qui restent, le cartomancien retire *deux* cartes qui sont disposées au centre de « l'horloge ».

Quatorze cartes sont donc à interpréter.

Tableau du symbolisme des heures

Chaque heure correspond aux Maisons Astrologiques. Les

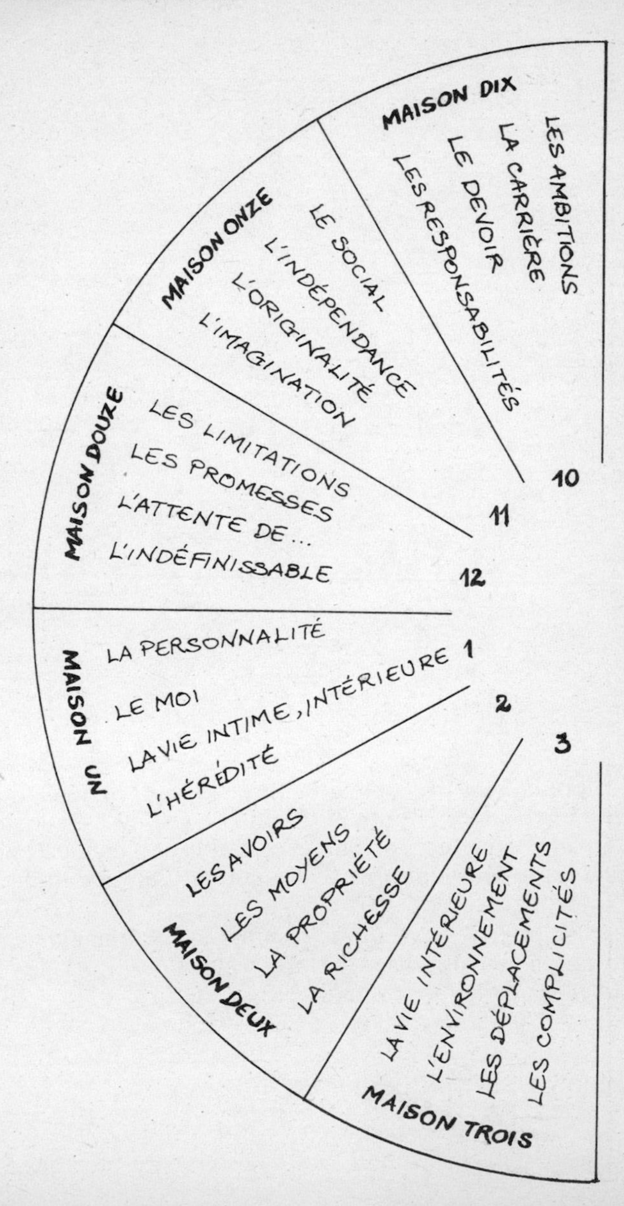
MAISON DIX
LES AMBITIONS
LA CARRIÈRE
LE DEVOIR
LES RESPONSABILITÉS
MAISON ONZE
LE SOCIAL
L'INDÉPENDANCE
L'ORIGINALITÉ
L'IMAGINATION
MAISON DOUZE
LES LIMITATIONS
LES PROMESSES
L'ATTENTE DE...
L'INDÉFINISSABLE
MAISON UN
LA PERSONNALITÉ
LE MOI
LA VIE INTIME, INTÉRIEURE
L'HÉRÉDITÉ
MAISON DEUX
LES AVOIRS
LES MOYENS
LA PROPRIÉTÉ
LA RICHESSE
MAISON TROIS
LA VIE INTÉRIEURE
L'ENVIRONNEMENT
LES DÉPLACEMENTS
LES COMPLICITÉS
10
11
12
1
2
3

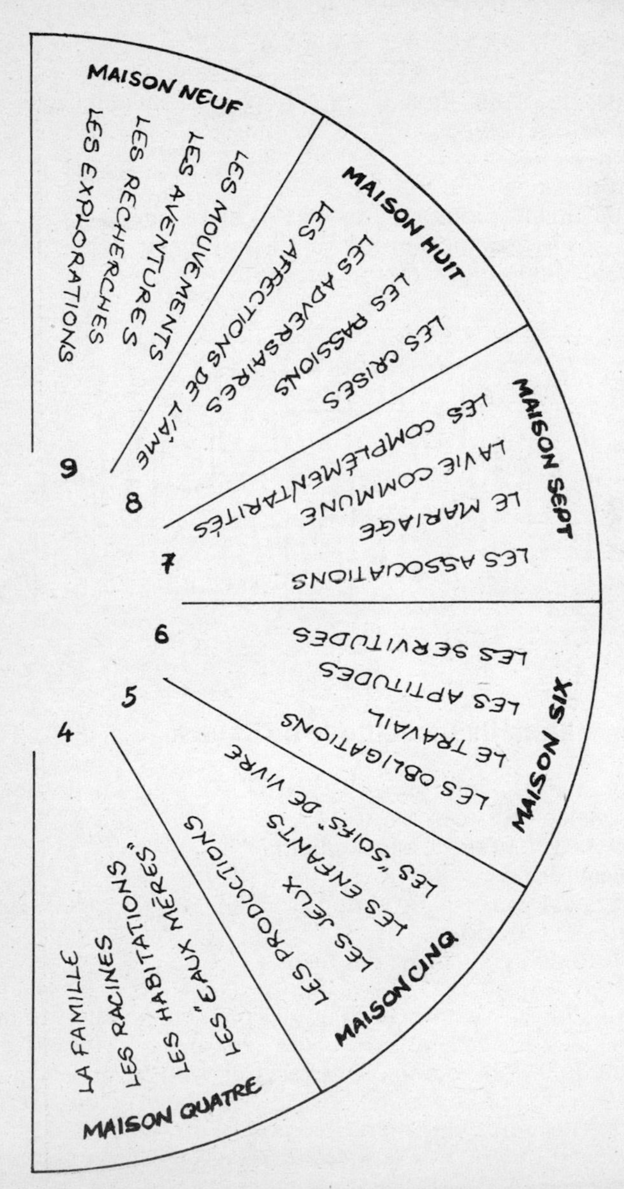
4
5
6
7
8
9
MAISON QUATRE
LA FAMILLE
LES RACINES
LES HABITATIONS
LES "EAUX MÈRES"
MAISON CINQ
LES PRODUCTIONS
LES JEUX
LES ENFANTS
LES "SOIFS" DE VIVRE
MAISON SIX
LES OBLIGATIONS
LE TRAVAIL
LES APTITUDES
LES SERVITUDES
MAISON SEPT
LES ASSOCIATIONS
LE MARIAGE
LA VIE COMMUNE
LES COMPLÉMENTARITÉS
MAISON HUIT
LES CRISES
LES PASSIONS
LES ADVERSAIRES
LES AFFECTIONS DE L'ÂME
MAISON NEUF
LES MOUVEMENTS
LES AVENTURES
LES RECHERCHES
LES EXPLORATIONS

attributions de ces Maisons remontent à *Ptolémée* et au cours des siècles, leurs valeurs symboliques se sont trouvées confirmées par les coïncidences qui peuvent s'expliquer par la théorie des archétypes.

Autre disposition
Eventuellement, pour gagner de la place sur la table de travail, les cartes peuvent être disposées en demi-cercle, comme l'indique l'illustration ci-dessous :

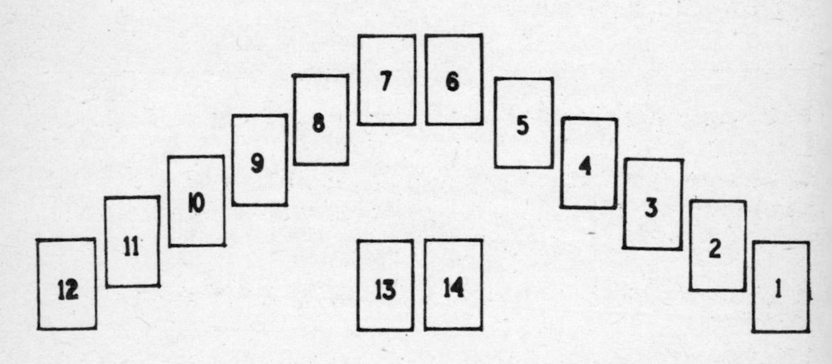

Interprétation de la méthode de l'Horloge

Le cartomancien interprète les cartes en fonction de deux collections de messages :
- les messages des aracanes majeurs
→ **Tableau des messages**
- les messages provenant du positionnement des cartes, soit les heures de l'horloge
→ **Tableau du symbolisme des heures**

Le cartomancien se trouve donc en communication avec les messages des cartes du Tarot et de ceux des 12 Maisons de l'horloge qu'il doit combiner, associer et synthétiser.

La 13e carte l'aidera à élaborer une synthèse tandis que la 14e sera considérée comme la Roue de Fortune, c'est-à-dire celle qui confirme ou non le succès de l'entreprise en question.

Un exemple du cérémonial de l'horloge

Le cartomancien mélange les 22 arcanes majeurs et le consultant tire *12 cartes* qui sont disposées par le devin comme les 12 heures d'un cadran d'horloge.

Détail des positionnements des cartes : leur valeur, les domaines concernés…

• 1re carte déposée à 9 heures qui correspond à la Maison Un, soit :
la Roue de la Fortune, arcane n° X, dans la Maison Un qui s'intéresse au caractère et à la personnalité du consultant dans sa totalité.

• 2e carte déposée à 8 heures, qui correspond à la Maison Deux, soit :
l'Amoureux, Arcane n° VI, dans la Maison Deux qui est celle des avoirs du consultant, de ses possessions et de ses finances.

• 3e carte déposée à 7 heures qui correspond à la Maison Trois, soit :
le Soleil, Arcane n° XIX, dans la Maison Trois qui est celle de la vie extérieure du consultant, de ses voyages, de ses contacts et de ses proches (frères et sœurs).

• 4e carte déposée à 6 heures qui correspond à la Maison Quatre, soit :
la Mort ou mieux sans nom, arcane XIII, dans la Maison Quatre qui est celle du foyer, de la famille, du père, de la mère, des enfants, du toit familial.

• 5e carte déposée à 5 heures qui correspond à la Maison Cinq, soit :
le Pape arcane n°V, dans la Maison V qui est celle des créations et des récréations, des jeux et des joies.

• 6e carte déposée à 4 heures qui correspond à la maison Six, soit :
le Monde, arcane n°XXI, dans la Maison Six qui est celle des occupations, des obligations, des servitudes et de la santé.

• 7e carte déposée à 3 heures qui correspond à la Maison Sept, soit :
l'Ermite, arcane n°IX, dans la Maison Sept qui est celle des associations amoureuses, professionnelles, des échanges et des conciliations.

• 8e carte déposée à 2 heures qui correspond à la Maison Huit, soit :
la Maison-Dieu, arcane n°XVI, dans la Maison Huit qui est celle des crises, des adversaires, des instincts, et des passions.

• 9e carte déposée à 1 heure qui correspond à la Maison Neuf, soit :
la Lune, arcane n°XVIII, dans la Maison Neuf qui est celle du mouvement, des explorations, de la curiosité, de « l'ailleurs ».

• 10e carte déposée à 12 heures qui correspond à la Maison Dix, soit :
la Papesse, arcane n°II, dans la Maison Dix qui est celle de l'ambition, des vocations et de la force.

• 11e carte déposée à 11 heures qui correspond à la Maison Onze, soit :
le Bateleur, arcane n°I, dans la Maison Onze qui est celle des affinités, du social, mais aussi des illusions et des inattendus.

• 12e carte déposée à 10 heures qui correspond à la Maison Douze, soit :
le Pendu, arcane n°XII, dans la Maison Douze qui est celle des limitations, de la sensibilité et de l'attente de...

• 13e carte déposée au centre :
la Force, arcane n°XI.

• 14e carte déposée au centre:
l'Etoile, arcane n°XVII.

Interprétations de la rencontre des cartes du tarot et des heures de l'horloge astrologique*

Sans entrer dans des interprétations trop détaillées, synthétisons les messages Maison/carte pour chaque association.

La Maison Un (9 heures) est occupée par **la Roue de Fortune**, arcane n°X.

Cette carte annonce des changements, la mise en place d'un cycle nouveau et une suite d'événements qui enrichiront - psychiquement parlant - le consultant.

Comme la Maison Un intéresse sa personnalité dans sa totalité, on peut interpréter la rencontre carte/Maison dans un sens de progrès, mais avec cette nuance que la période sera passagère, d'où un conseil d'opportunité à saisir.

La Maison Deux (8 heures) est occupée par **l'Amoureux**, arcane n°VI.

La synthèse des messages Maison/carte est à base de prudence, notamment dans le domaine des finances. Attention également aux dépenses, aux indécisions et aux épreuves qui pourraient naître d'un excès d'émotivité.

La Maison Trois (7 heures) est occupée par **le Soleil**, arcane n°XIX.

L'association des messages Maison/carte est excellente pour le consultant. Elle parle de voyages, de dynamisme et de chaleur humaine. Les ambiances sont agréables; des lettres et autres moyens de communications apporteront des promesses de résultats. Beaucoup d'amitié, de générosité et de fidélité autour du consultant.

De plus, une idée de gloire et de célébrité est attachée à

* Interprétation empruntée au Guide divinatoire du Tarot *Astrocard's* de Frédéric Maisonblanche aux éditions SMIR.

l'arcane XIX; le soleil éclairera toute la personnalité du consultant.

La Maison Quatre (6 heures) est occupée par l'arcane n°XIII, **la Mort** ou également la carte sans nom.

La combinaison des deux éléments Maison/carte intéresse surtout les préoccupations professionnelles. Des crises sont annoncées, des mutations et des évolutions après des destructions. Des idées d'obligations et de devoirs à remplir, ennuyeux à mourir, sont stigmatisés.

La Maison Cinq (5 heures) est occupée par **le Pape**, arcane n°V.

Il s'agit d'une association Maison/carte fort curieuse car des oppositions et des inquiétudes sont annoncées au consultant dans son rythme de vie. Il sera «sérieux dans l'étude de ses loisirs et de ses récréations avec le monde extérieur, amusé et amusant dans l'élaboration de questions très sérieuses... Un bon dosage de qualités optimistes et d'aptitudes au raisonnement et à la logique va s'effectuer...»

Le conseil est donné de prendre le temps de réfléchir.

La Maison Six (4 heures) est occupée par **le Monde**, arcane n°XXI.

La carte «le Monde» indique que des métamorphoses à tous les niveaux, dont le psychique, sont en passe de devenir opérantes. Le message est aux satisfactions les plus belles. Le mot «travail» est mis en lumière dans cette combinaison; il semble donc que c'est par le biais du plan activité, profession, création, que le degré supérieur d'achèvement de la personnalité sera atteint.

La Maison Sept (3 heures) est occupée par l'**Ermite**, arcane n°IX.

Cette rencontre Maison/carte donne au consultant un message d'intériorisation. Sa vie sentimentale notamment sera nimbée de «lumière tamisée» par une noblesse de pensée et une profondeur de sentiment.

Un recul dans l'expression et l'éclosion des affections est prévisible.

La Maison huit (2 heures) est occupée par la **La Maison-Dieu**, arcane n°XVI.

Attention à des problèmes passionnels. Le consultant est averti que des bouleversements vont se produire, à moins qu'ils ne soient déjà en train de se manifester. Il pourra s'agir de tracas quotidiens, de finances ou d'amour. «Être dans la gueule du loup sera peut-être pittoresque, mais peu confortable!»

La Maison Neuf (1 heure) est occupée par **la Lune**, arcane n°XVIII.

L'association des messages Maison/carte est favorable aux fantaisies et aux enthousiasmes. Le consultant est informé qu'il a besoin «d'espace vital». Les ambiances seront aux voyages, aux rêves et à l'indépendance.

La Maison Dix (12 heures) est occupée par **la Papesse**, arcane n°II.

Il s'agit d'une excellente combinaison. Le consultant est assuré de faire preuve de responsabilité, d'ambition. Sa carrière, dans un sens large, est très bien favorisée. Il trouvera des réponses à tous ces problèmes, ce qui lui permettra de progresser sur la route de ses réussites.

La Maison Onze (11 heures) est occupée par **le Bateleur**, arcane n°I.

L'image du Bateleur parle comme une séquence de cinéma muet! Le consultant apprend donc qu'il aura des idées, des sentiments, mille envies de créations... qui passeront pour plaisantes et peu crédibles mais qui en fait seront parfaitement sérieuses.

La Maison Onze ajoute un message de vivacité, d'accélération des enthousiasmes. Cet épisode de vie semblera signé Jules Verne, tant elle sera radio-active, exotique, science-fiction!

La Maison Douze (10 heures) est occupée par **le Pendu**, arcane n°XII.

«Une atmosphère obscure enveloppe la ville apportant des soucis...» écrit le poète Verhaeren. Tel est le message de cette association Maison/carte.

Le consultant est averti que de la fatigue et des engourdissements freineront son rythme. Le moment est à la réflexion, et aux préparations philosophiques en prévision d'un meilleur monde.

Enfin, les treizième et quatorzième cartes, disposées au centre, donc hors Maison, donnent comme message :

13e, la Force, arcane n°XI : résolution des problèmes et assurances de triomphe par l'intelligence et l'activité soutenue.

14e, l'Etoile, arcane n°XVII : aide efficace, forces prêtes à être utilisées, équilibre et rayonnement.

La conclusion du tirage de cartes proposé en exemple pourrait être...

En conclusion du tirage de cartes donné en exemple, le cartomancien se trouve en possession de quatorze messages : douze créés par la rencontre des arcanes avec les Maisons, deux donnés par les treizième et quatorzième cartes.
Il lui faut mémoriser les informations afin que, étape par étape, une conclusion sensée sans pour autant être logique, possible sans pour autant être raisonnable, soit formulée.

Dans cette méthode — l'horloge — la division en 12 Maisons offre l'avantage d'une vision d'ensemble de « l'existence » du consultant mais permet également d'analyser en détail les différents domaines qui la composent : finances, santé, amour, etc... Et le devin se servira des 13e et 14e cartes pour conclure les interprétations fragmentées.

Dans l'exemple proposé, le cartomancien pourrait donner à son consultant une conclusion qui tiendrait compte, en quelques mots, des messsages essentiels recueillis au fil des Maisons, comme suit :

« ... des changements vous attendent qui toucheront la totalité de votre existence (arcane X dans Maison Un), mais en atten-

dant ces transformations, soyez prudent pour tout ce qui touche vos finances (arcane VI dans Maison Deux).
Pour l'instant, préparez vos valises, même symboliquement et soyez heureux puisque vous allez vivre des moments amicaux, souriants (arcane XIX dans Maison Trois). Profitez-en car vous allez avoir à résoudre des problèmes touchant votre vie de travail; une idée de reconversion, de licenciement ou de faillite est envisageable (arcane XIII dans Maison Quatre).

Toute cette période de vie sera trouble; vous ne saurez pas «sur quel pied danser» et quelques crises d'inquiétude pourraient bien survenir (arcane V dans Maison Cinq). Mais il est certain que ces désagréments doivent être supportés avec patience et devront même être motif à réflexion, puisque des cendres surgira un renouveau, notamment sur le plan activité et profession (arcane XXI dans Maison Six).

Le conseil, donc, est d'importance: pour l'instant, calmez vos ambitions et vos enthousiasmes, faites éventuellement une retraite dans quelque endroit reposant afin de faire le tri entre ce qui est possible et ce qui ne l'est pas pour votre avenir. Calmez également votre affectivité trop fragile (arcane IX dans Maison Sept), d'autant que vous n'êtes pas à l'abri de quelques coups de passion au cœur qui bousculeront votre équilibre (arcane XVI dans Maison Huit). Encore une fois apparaît le conseil de «prendre le large», de faire retraite loin des servitudes du monde, n'étant pas impossible que votre vie future se trouve justement dans un «ailleurs», dans un pays étranger, dans des occupations où le rêve l'emporte sur les réalités trop dures (arcanes XVIII dans Maison Neuf).

Il est même certain que vos ambitions pourront se réaliser et que les étapes difficiles que vous aurez à franchir sont autant de tremplins permettant votre ascension (arcane XII dans Maison Dix).

De nouveau apparaît la confirmation que cet épisode de vie qui pointe à l'horizon sera extra-ordinaire et marginal, et que votre futur sera tel que vous ne le supposez pas mais bien tel que vous l'espérez: endiablé, original, créatif et surtout hors des sentiers battus (arcane I dans Maison Onze).

Mais pour atteindre ce point de résurrection, ô combien merveilleux, il vous faut subir des fatigues et des inquiétudes.

C'est à ce prix que votre route à venir sera rayonnante (arcane XII dans Maison Douze).

D'ailleurs, les deux cartes qui «concluent» affirment que vous êtes assuré de triompher de tous les problèmes et de franchir les obstacles (arcane XI). A vous d'utiliser les énergies qui sont en vous et qui ne demandent qu'à servir! (arcane XVII)...»

Le jeu de cartes ordinaires

Les jeux de cartes «ordinaires» peuvent être considérés comme dérivés des tarots, dans la mesure où ils servent également à des travaux de divination. Qu'il s'agisse d'osselets — astragalomancie — ou d'écailles de tortue — chéloniomancie — l'essentiel est, pour le devin, d'avoir un *support* ou mieux, un *révélateur* à ses dons de clairvoyance. S'il n'en a pas, il se contentera de messages écrits ou de dessins parlant à même la carte, comme dans certains jeux dits de tarot où il suffit de lire les messages. Cette formulation est pratique pour qui ne veut pas apprendre le langage des cartes ou qui répugne à consulter un devin, mais elle ne peut donner qu'un ersatz de divination.

Les jeux de cartes ordinaires peuvent représenter toutes sortes d'événements historiques, dont révolutionnaires: la panoplie des têtes, des grades et des armes est infinie. Toutes sortes de personnages peuvent apparaître, y compris des hommes politiques, des saints et des dames dénudées.

Le jeu de cartes ordinaire servant à la divination, est le jeu dit de **Bridge** de 52 cartes ou mieux le jeu dit de **Piquet** de 32 cartes.

Ce dernier jeu ne possède pas les cartes numérotées: Deux, Trois, Quatre, Cinq et Six, d'où sa moindre épaisseur.

L'interprétation des cartes ordinaires

Quelles sont les interprétations des cartes ordinaires lorsqu'elles sont utilisées comme outils de divination ?

Les 32 cartes du jeu de Piquet sont réparties en quatre collections : Carreaux, Cœurs, Trèfles, Piques.

Chaque carte possède un message qui servira au cartomancien à bâtir une analyse mantique.

• L'ensemble des enseignements divinatoires donnés en référence de chaque carte constitue un **tableau des messages.**

Les huit Carreaux

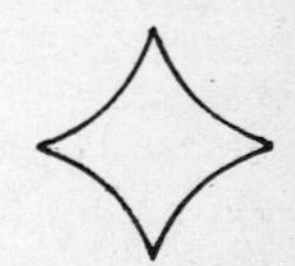

As

Carte d'un message, d'une communication.

L'As de Carreau est aux cartes ce que Mercure est à la Mythologie... il indique qu'il va se passer quelque chose, il est le signe avant-coureur, annonciateur d'un nouvel état, d'une nouvelle situation ou de nouveaux sentiments qui sont « programmés » par le destin et qui vont être dévoilés sous forme de lettres, de conversations, de propositions diverses.

Roi

Carte-message suggérant un personnage masculin au caractère difficile, capable de méchanceté et de traîtrise.

Il ne s'agit pas d'un parent mais plutôt d'une relation d'affaires ou d'une personne gravitant dans l'entourage.

Cette carte annonce de la malveillance, de l'agressivité et

des emportements. Attention aux méchantes langues et aux vilains tours.

Dame

Carte-message proposant un personnage ayant les mêmes défauts et inconvénients que celui du Roi de Carreau, mais féminin.

Valet

Carte-message annonçant la présence d'un adolescent, d'un homme encore jeune, flatteur, intéressé, pas forcément méchant mais infidèle et capable de parjure.

Ce personnage peut être un messager — un facteur par exemple — porteur de lettres qui cautionnent des mensonges et des propos illusoires.
Attention à la «poudre aux yeux», à des calculs trop individualistes et à des histoires à dormir debout.

Dix

Carte-message de voyages, d'affaires commerciales à traiter, de routes à prendre.

Le message est à la détente, à des contacts bénéfiques et plaisants. Il peut s'agir de petits déplacements comme de voyages autour du monde. L'idée de mouvement devant seule être retenue, il peut être question d'animation, de rencontre et de changement de décor de vie.

Cette carte, Dix de Carreau, peut être illustrée par cette pensée de Lévi-Strauss: «un voyage s'inscrit simultanément dans l'espace, dans le temps et dans la hiérarchie sociale».

Neuf

Carte-message de réussite.

Il s'agit d'une excellente carte qui annonce le succès des projets, aussi bien dans le domaine des affaires financières et professionnelles que dans celui des sentiments. Comme «c'est le succès qui fait les grands hommes», le consultant est assuré de le devenir.

Huit

Carte-message d'un déplacement financièrement fructueux.

Une idée d'argent, de résultats bien palpables est proposée. Il peut s'agir de rentrée d'argent par courrier - l'évocation de mobilité est alors observée - ou de tractations et de marchés se concluant par des intermédiaires. La carte parle «d'affaires en or et en argent...».

Sept

Carte-message d'une présence — plutôt féminine — qui apporte des petits plaisirs et des petites satisfactions au quotidien.

Cette carte a peu d'importance seule, mais intervient favorablement dans les associations de cartes.

Les huit Cœurs

As

Carte-message d'une joie de vivre, d'aimer et d'exister.

Elle explique que tout ce qui est l'existence présente du consultant est bénéfiquement influencé. Il faut donc comprendre le consultant lui-même mais aussi sa maison, son entourage proche.

Roi

Carte-message indiquant qu'un personnage masculin « veut du bien » et même plus au consultant.

Il peut s'agir d'un mari, d'un amant, d'un ami qui existe déjà, à moins que le Roi en question soit cet homme de l'entourage qui a toutes les chances et les qualités pour devenir le mari et l'amant rêvés de la consultante ou l'ami souhaité.

Dame

Carte-message proposant les mêmes atouts que ceux du Roi de Cœur, mais au féminin.

Il peut donc s'agir de telle jeune femme ou dame de l'entourage du consultant, qui est destinée à devenir l'épouse, l'amante et l'amie dévouée, tendre et fidèle.

Valet

Carte-message de l'amitié.

Il peut s'agir, pour une consultante, d'une connaissance de préférence masculine, d'un fils, d'un fiancé. Cette carte annonce de la sincérité, du dévouement et de la fidélité.

Mais le contrat d'amitié que propose le Valet de Cœur n'est pas unilatéral. En effet, cette carte demande de « semer de l'amitié afin d'en recueillir le fruit... » comme l'écrit Honnoré d'Urfé.

Dix

Carte porte-bonheur.

Cette carte n'a pas d'autre utilité que de dire au consultant « vous êtes protégé ». Il ne faut pas lui prêter des messages très ou trop importants mais la conserver comme talisman qui, au dernier moment, donnera une issue favorable aux problèmes.

Neuf

Carte-message de victoire.

L'annonce est mieux qu'un succès, elle parle de triomphe. Cette carte sortant dans une consultation, gomme les problèmes, supprime les obstacles; elle informe le consultant qu'il «gagnera la partie» de son existence qu'il est en train de jouer et qu'il viendra à bout de toutes les difficultés.

Huit

Carte-message de résultats.

Il ne s'agit plus de providence triomphante mais de conséquence favorable. Si le consultant a travaillé avec volonté et intelligence dans un domaine précis, la carte lui indique qu'il obtiendra des profits.

Cette carte annonce la conclusion positive des entreprises à condition que le consultant le mérite... mais elle l'informe que la providence sera très bienveillante!

Sept

Carte-message d'une présence, de préférence féminine, pouvant être d'un bon conseil pour le consultant.

Cette carte est au féminin ce que le valet de Cœur est au masculin: symbole d'amitié, de dévouement et de fidélité.

Pour le consultant homme, le message d'amitié se colore d'amour, de tendresse. Il n'est pas exclu qu'il rencontre au détour de son instant présent d'existence, la jeune femme aimée en rêve, la femme de sa vie qui n'est encore, selon le langage symbolique des cartes, qu'une «adolescente».

Les huit Trèfles

As

Carte-message de chance.

Il y a dans les succès, les triomphes, les résultats, une part de chance. La part de la chance est souvent mal définie mais c'est elle qui donne cette impression de bonheur, cet état ensoleillé que l'on remarque chez ceux qui « réussissent ».

La carte annonce que les circonstances sont favorables au consultant pour qu'il entreprenne, qu'il mette en chantier ses espérances et ses souhaits. A l'occasion de ce « tirage au sort », la providence lui indique qu'il est « né sous une bonne étoile » qui ressemble à un trèfle !

Roi

Carte-message d'une présence « à-tout-cœur » au masculin.

Il est tendancieux de présumer qu'Alexandre — c'est le nom du Roi de Trèfle — est un homme brun, mais nombre de guides précisent que la présence amicale, à défaut d'être amoureuse, mais de toute manière bénéfique, et plus que favorable au consultant, pourrait bien être une personne blonde !

Cette carte annonce que, dans l'entourage de la consultante, se trouve ou se trouvera un personnage — homme de préférence — qui pourra devenir le mari souhaité tout haut, l'amant rêvé en secret...

Quand il s'agit d'un consultant, le Roi de Cœur apparaîtra sous l'apparence d'un ami sincère, d'une présence réconfortante et efficace.

Dame

Carte-message d'amitié et d'amour — au féminin.

La Dame de Trèfle possède les mêmes arguments que le

Roi de Trèfle mais au féminin. Elle peut donc annoncer au consultant qu'une présence féminine qui se trouve dans son entourage, lui veut «beaucoup de bien».
Il peut s'agir d'amour, de tendresse, d'amitié selon les disponibilités de cœur du consultant. Mais d'une manière générale, l'amour est au bout du jeu...
De plus, cette carte peut être considérée comme un faire-part de mariage pour un homme, tant elle possède de charge amoureuse et sexuelle.

Valet

Carte-message d'amitié.
Il peut s'agir aussi d'un parent, d'un fils, d'un ami, d'un compagnon de travail... La parole est à la sympathie et à l'aide en cas de besoin. Selon les subtilités de l'interprétation inventéees par l'art du devin, cette carte pourrait aussi signifier que le consultant peut avoir confiance en lui-même puisqu'il est écrit: «on n'est fidèle qu'à soi-même».

Dix

Carte-étalon argent.
Cette carte annonce des rentrées financières sous les formes les plus diverses. Les revenus prévus peuvent être des gains licites, des bénéfices commerciaux ou autres, des intérêts divers mais aussi des héritages, des sommes d'argent «tombées du ciel».
Le moment est aux jeux de bourse, de loterie, de casino... mais que le consultant n'oublie pas que Dame Fortune étant aveugle, cette carte de crédit ne durera pas jusqu'à la fin des temps.

Neuf

Carte-message de voyages profitables.

Cette carte peut être vue comme la carte-grise ou la carte de circulation du jeu! Elle annonce au consultant des déplacements bénéfiques, des déplacements tous azimuts dont les buts auront une odeur financière.
L'expression «avoir du trèfle» semble avoir été créée pour cette carte! D'autre part, une idée de cadeaux à recevoir est proposée.

Huit

Carte-message d'acquisition matérielle.
Le consultant est averti que ses travaux, ses peines et ses efforts lui sont maintenant comptabilisés. Il touchera les justes gains de ses ouvrages. La carte annonce également que les positions et les avancements espérés sont en passe de se réaliser.

Sept

Carte-message de petits profits.
Cette carte propose des petits résultats, des petits gains du quotidien. Ce n'est ni le gros lot, ni un trésor mais d'excellents produits au présent immédiat.
Une idée d'intermédiaire — de préférence féminine — est suggérée par cette carte. Il n'est donc pas impossible que le consultant soit assuré de cumuler et l'amour et l'aisance financière... à l'occasion d'une rencontre.

Les huit Piques

As

Carte-message de problèmes, de tristesse et de deuil.

Cette carte noire d'aiguillons venimeux, symbolise la fatalité et les événements contre lesquels la volonté du consultant ne peut rien. Les formes de la fatalité sont multiples : déterminisme de la nature — accidents, problèmes physiques et toutes les tyrannies du corps ; fatalités des passions — amour, jalousie, ambition, orgueil... — fatalité sociale — servitude familiale, guerre, problèmes sociaux... Le consultant trouvera dans cet inventaire, qui n'est jamais terminé, l'événement marqué au noir des mauvaises destinées.

Mais cette carte, qui indique une prédestination fatale à laquelle le consultant semble ne pas pouvoir échapper, porte en elle-même une grâce toute-puissante. Car pourquoi apparaît-elle, sinon pour informer le consultant qu'il doit prendre des dispositions pour, non pas échapper aux « fatalités », mais pour s'y préparer, les analyser et pourquoi pas les surmonter.

Roi

Carte-message d'une justice immanente.

Il s'appelle David et il est Roi de Pique ; en sa qualité de magistrat et de haut fonctionnaire de l'ordre des cartes, il annonce au consultant des problèmes non seulement juridiques mais aussi sentimentaux et humains. Il pourra s'agir de difficultés avec des administrations de toutes sortes, des employeurs, des hommes de justice. Ils seront de préférence hommes sévères, peu agréables à fréquenter et rarement bons.

Dame

Carte-message de tristesse et de tourment.

Cette Dame de Pique est taciturne ; elle annonce des mélancolies et des afflictions à tous les niveaux. Il peut s'agir d'une crise de pessimisme et de désespoir, d'un moment de déprime. Mais Pallas — c'est son nom — est là pour donner des conseils à la manière des « remèdes de bonne femme ». Elle indique au consultant que ce moment de tristesse n'est pas là comme par enchantement mais qu'il est le résultat d'une mauvaise administration de sa vie personnelle, vie de cœur, d'affaire, spirituelle... et que des procédés existent contre ces angoisses, à condition qu'elles ne deviennent pas excuses à volupté, à auto-destruction et à décadence. Et il appartient au consultant de les découvrir tout le long du déroulement du jeu.

Valet

Carte-message d'une présence, d'une circonstance ou d'un moment préoccupants.

Cette carte annonce des humeurs pessimistes. Le consultant est en contact avec des personnages en clair-obscur, pas toujours méchants mais un peu hypocrites. Qu'il ne fasse pas de confidences, qu'il reste sur la réserve, qu'il ne quémande pas des aides à des personnes en qui il ne peut avoir confiance.

Dix

Carte-message d'ambiances occultes.

Cette carte informe le consultant que des événements mystérieux, parce que imprévisibles, se préparent. Parallèlement, le conseil est au secret des desseins et des sentiments ; que le consultant soit lui-même mystérieux. D'autre part, cette carte, symbole de tout ce qui est occulte et enfoui dans l'inconscient, invite le consultant à fouiller dans sa vie et dans ses souvenirs et également dans ceux de son entourage, afin de trouver des clés qui lui permettront de trouver des réponses à ses problèmes et à ses inquiétudes.

Attention enfin à une idée d'emprisonnement qui peut être sous-jacente aux mots occulte et mystère.

Neuf

Carte-message de rupture.

Il est annoncé au consultant des « mises en morceaux ». Il

peut s'agir de sentiments : dans ce cas, un divorce ou une séparation est prévisible; de projets et de réalisations; dans ce cas, les mots faillite, démission et fric-frac sont mis en évidence. Il peut s'agir enfin de fractures physiques ou morales à l'occasion d'accidents, de problèmes de santé ou de dépression.

Mais cette carte n'est pas que de mauvais augure car une mise hors d'usage ou une rupture annonce, par la loi des contraires du jeu de la vie, une renaissance.

Huit

Carte-message des larmes.

Ce Huit de Pique pleure toutes les larmes de son corps épineux. Il indique au consultant des problèmes de sensibilité, des crises de désespoir et des mauvaises surprises.

Cette carte fait l'éloge des larmes en prévoyant des moments pénibles. Il pourra s'agir de mauvaises nouvelles, de la perte d'un objet, d'un sentiment, d'un projet; de querelles qui n'en finiront plus; d'amertume si le consultant ne profite pas de cette information pour prendre des précautions, se prémunir et refuser les rencontres par trop grinçantes.

Sept

Carte-message d'inquiétude.

L'information n'est pas dramatique. Elle indique que les rapports seront troublés par des petits tracas et des moindres difficultés. Rien d'alarmant, mais cette carte est le signe avant-coureur d'un état de mélancolie et de tristesse qui pourra être corrigé.

Le tirage des cartes

Chaque devin, à longueur de consultations, trouve sa méthode, celle qui lui permet d'obtenir des cartes les meilleurs messages.

Il existe deux cérémonials, devenus des classiques, qui sont aisés en manipulation et en interprétation :

- le tirage par petits paquets de 3 cartes.
- le tirage par la croix.

Le tirage par trois cartes

Le tirage par trois cartes est le plus élémentaire mais qui demande le plus d'intuition.

Face à face, le consultant et le cartomancien.

- Le cartomancien mélange les 32 cartes que le consultant coupe de la main gauche. Puis le devin «tire les cartes».

- Le tirage se fait par petits paquets de 3 cartes à la fois :

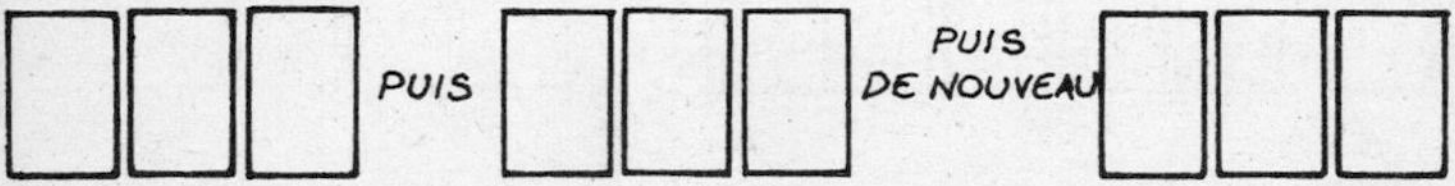

PUIS

PUIS DE NOUVEAU

jusqu'à ce que les 32 cartes aient été comptées.

- Le cartomancien met de côté les cartes de même couleur.

Trois cas peuvent se produire. Par exemple :
3 Cœurs sont trouvés, les 3 cartes sont gardées.
2 Cœurs et *1 Pique* sont trouvés, la carte *Cœur*, la plus forte, est gardée.
3 cartes de *couleur différente* sont trouvées, aucune carte n'est conservée.

• Les cartes non conservées lors du premier tirage sont de nouveau mêlées et font l'objet d'une deuxième opération puis d'une troisième. Chaque fois les cartes de même couleur sont gardées selon les instructions.

Le cartomancien se trouve alors en possession d'un certain nombre de cartes.

○ *Nota*

Si le nombre est pair, le consultant tire une carte supplémentaire afin que le nombre total des cartes conservées soit impair.

L'interprétation du tirage par trois cartes

Elle se fait en deux temps

• **Premier temps**

Le paquet des cartes réservées dans une main, le devin prend la première carte et la retourne. Cette carte est sensée représenter le consultant. Puis il compte cinq par cinq. Chaque cinquième carte est déposée sur la table de travail.

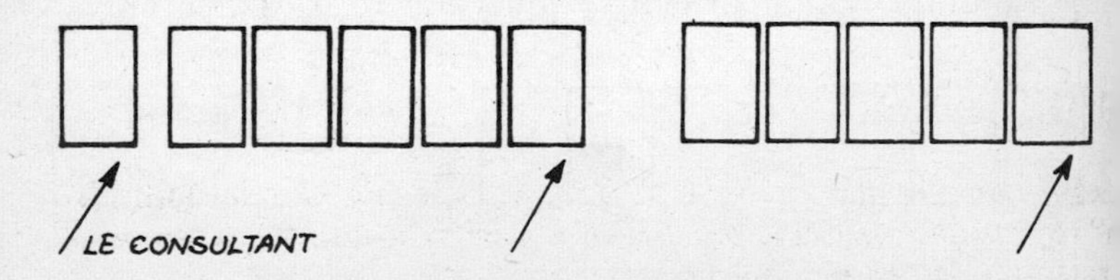

Un seul comptage doit être fait.

Le devin obtient une première série de messages d'ordre général, qu'il explique succinctement au consultant en s'aidant du **Tableau des messages**.

Le devin doit retenir ces premiers renseignements qui serviront à nuancer et compléter les messages qui sont donnés en deuxième temps.

• **Deuxième temps**

Le devin ramasse toutes les cartes, les mêle et place *six* cartes au hasard sur la table de travail.

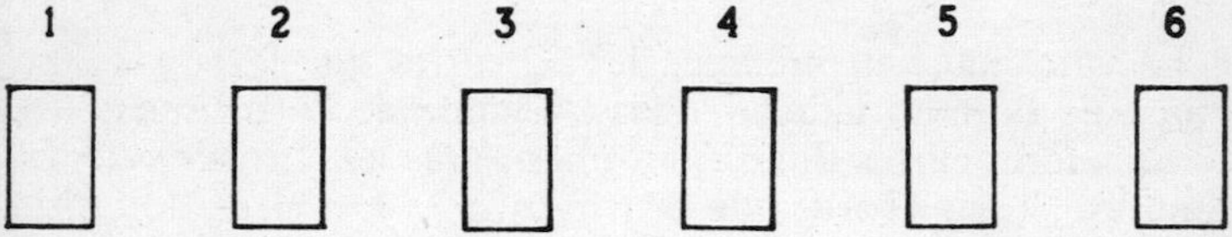

1 2 3 4 5 6

Chaque carte représente un **domaine** précis :
1. La personne du consultant
2. La maison du consultant
3. Ce qu'attend le consultant
4. L'imprévu qui attend le consultant
5. La «surprise» qui risque d'arriver au consultant
6. La «consolation» aux problèmes que le consultant aura.

Le devin procède alors à une interprétation générale en synthétisant et la valeur symbolique de chacune des six cartes, en s'aidant du Tableau des messages, et celle du domaine concerné.

Un exemple

Le cartomancien trouve le *huit de Carreau* dans le Domaine n° 6, celui de «la Consolation». Une synthèse rapide permettra au devin d'annoncer au consultant :

«... une consolation, soit des moyens de vaincre les problèmes que vous pouvez avoir, vous est annoncée. Il peut s'agir d'une réussite financière, d'une rentrée d'argent...»

Un complément d'information peut être donné en choisissant au hasard une nouvelle carte parmi celles qui n'ont pas été utilisées et en la déposant sur celle déjà étalée. Le cartomancien enrichira les messages déjà obtenus, si cette ultime carte l'inspire.

Le tirage en croix

Le cérémonial de la croix demande plus d'espace de travail et plus de travail de synthèse.

• Le cartomancien mélange les 32 cartes que le consultant coupe de la main gauche. Puis l'homme de l'art dispose les 20 premières cartes du jeu, les unes après les autres en dessinant une croix. L'ordre de distribution 1, 2, 3, 4, 5, doit être observé lors de la répartition des cartes. Cinq tas sont ainsi constitués.

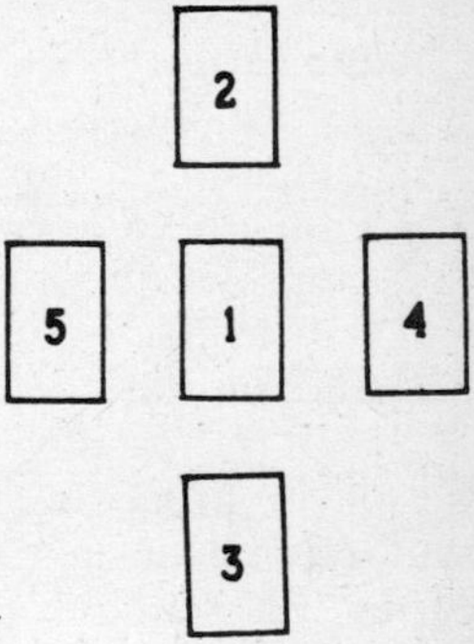

2

5 1 4

3

• Le cartomancien retourne les cinq groupes composés de 4 cartes chacun. (5 × 4 = 20 cartes).

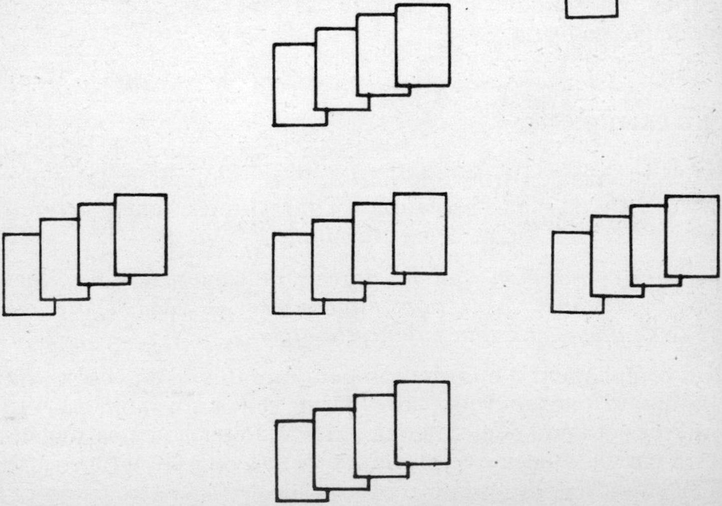

L'interprétation du tirage en croix

L'interprétation des cartes, dans la méthode «en croix», fait intervenir trois sources d'informations.

Le cartomancien interprète les cartes en fonction de deux critères :

○ leur *positionnement* dans la forme de la croix : au milieu, en haut, en bas, à gauche et à droite.

○ les relations de voisinage qu'elles peuvent avoir ensemble, soit les *associations*.

C'est à ce moment que l'art, la compétence et le don du devin apparaissent comme essentiels; en effet, il est facile pour toute personne sachant lire, de faire des rapprochements élémentaires : «une Dame de Cœur veut dire..., un Valet de Cœur veut dire...» et les messages n'auront qu'un intérêt au premier degré, sans grande valeur divinatoire.

Le cartomancien se trouve donc en communion — dans le sens de communion spirituelle — avec plusieurs collections d'informations particulières qu'il lui faut combiner, assembler et synthétiser en un tout.

• Première collection d'informations provenant de la *valeur* des *cartes*.

→ Voir **Tableau des messages**

• Deuxième collection d'informations provenant de la valeur de l'*emplacement sur la croix*.

→ Voir **Tableau du symbolisme de l'espace** (voir p. 52).

• Troisième collection d'informations provenant de la valeur du *«côte à côte»* des cartes.

→ Voir **Tableau des associations** (ci-après).

Tableau des associations

As

4 As — Héritage — acquisitions — rentes — bénéfices. Cette association de cartes «parle» d'argent, de dons imprévus.

3 As	Message de plaisirs, de contentement, de satisfactions.
2 As	Deux As réunis laissent présager un danger, des embûches. Le conseil est de prendre garde.

Roi

4 Rois	Honneurs — gloire — mérite. C'est, d'une manière générale, un message de réussite et d'appuis.
3 Rois	Succès — progression dans le domaine professionnel — réussite.
2 Rois	Inspiration — suggestions intéressantes. «Vous pouvez vous en remettre à votre entourage, il est de bon conseil».

Dame

4 Dames	Légèreté — maladresse — manque de tact. «Prenez garde aux indiscrétions».
3 Dames	Repas — société — réunions amicales — «plaisirs de la table».
2 Dames	Il s'agit d'amitié, de bonnes fréquentations, en particulier dans le milieu professionnel.

Valet

4 Valets	Gêne — embarras — contraintes — indécision — batailles.
3 Valets	Indifférence — impassibilité — désintéressement — tiédeur.

2 Valets — Association suggérant l'amitié, l'entente, l'accord, les bonnes relations.

Dix

4 Dix — Infidélité — événement désagréable — tromperie — abus de confiance, ce qui peut aboutir à un changement de situation plus favorable.

3 Dix — Espérance — désir — projets d'avenir — promesses.

2 Dix — Contentement — souhaits accomplis — satisfaction — assouvissement.

Neuf

4 Neuf — Revers — rebondissement — changement de situation en perspective.

3 neuf — Petite réussite —événement agréable — rencontre pouvant se conclure par un mariage.

2 neuf — Aisance — bien-être — prospérité.
Votre avenir sera assuré, et vous vivrez à l'abri du besoin.

Huit

4 huit — Erreur — méprise — confusion.
Vous serez déçu par quelque «songe-creux».

3 huit — Mariage — union — rencontre agréable.

2 huit — Heureux avenir, tant sur le plan professionnel que sentimental.

Sept

4 sept — Intrigue — subterfuge — moyens détournés.
Attention aux manœuvres tortueuses d'une personne de votre entourage.

3 sept — Plaisir — entrain — distractions.
« Vous vous en donnerez à cœur-joie »

2 sept — Grand bonheur.
Cette association est une des meilleures qui soient.
Vous « nagerez » dans la joie et serez comblé de tous vos vœux !

Un exemple de tirage de cartes avec son interprétation

Après répartition des 20 cartes, le cartomancien doit interpréter selon la méthode de la Croix, le jeu ci-dessous :

Les cartes disposées, le cartomancien doit maintenant les interpréter.

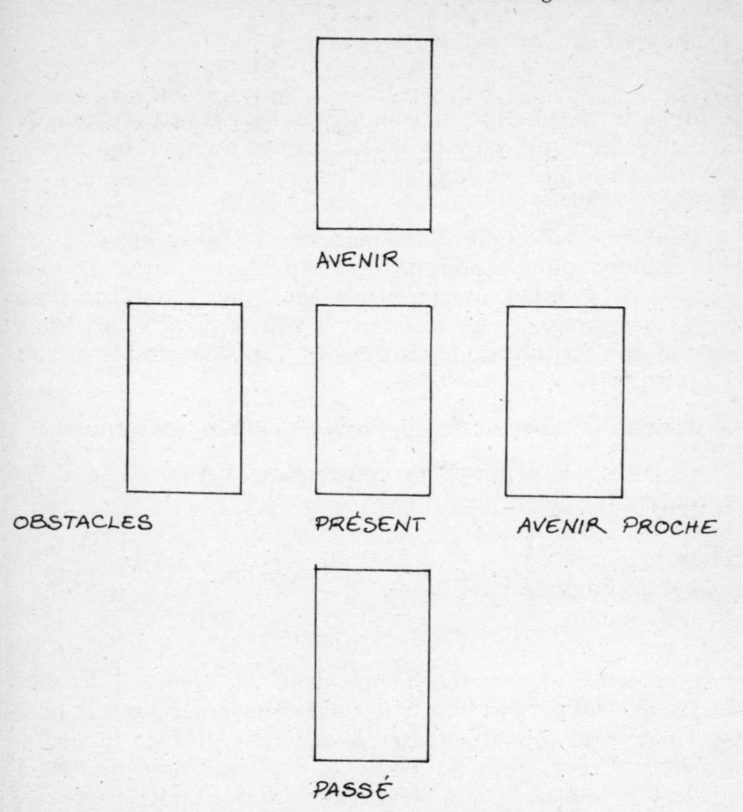

Pour ce faire, il lui faut synthétiser les messages et les enseignements de trois collections d'informations :

○ ceux de la carte elle-même,
○ ceux de l'emplacement où elle se trouve,
○ ceux des associations que les cartes font entre elles.

• **Première collection d'informations : la carte**

Le Tableau des messages donne la valeur de chaque carte*.

Dame de Cœur = annonce d'affectivité «au féminin»...
Huit de Trèfle = acquisition matérielle...

**A noter :* dans cet exemple, seul le paquet de cartes du haut est examiné.

Dame de Pique = tristesse et tourment...
Sept de Cœur = amitié, dévouement, fidélité...

Mais cette valeur subit un éclairage particulier en fonction de son emplacement ; est-elle dans le groupe du haut, du centre, du bas, de droite ou de gauche ?

• **Deuxième collection d'informations : l'emplacement**
Le Tableau du symbolisme de l'espace positionne chaque groupe de 4 cartes, dans des domaines précis. Il s'agit d'un éclairage spatial — qui n'a rien à voir avec le symbolisme spatial de l'écriture ou les Roses des Vents caractérologiques — soit :

le **présent,** le **passé**, le **futur**, l'**avenir lointain**, les **obstacles**

Dans l'exemple proposé, on constate que l'emplacement des cartes est le suivant :
Dame de Cœur
Huit de Trèfle
Dame de Pique
Sept de Cœur
} dans le groupe « en haut », soit l'**avenir**

Les mots-clés des cartes, Dame de Cœur, Huit de Trèfle, Dame de Pique, Sept de Cœur, sont donc à placer sur le plan de l'*avenir* du consultant, tandis que ceux du Dix de Cœur, Valet de Cœur, Sept de Trèfle et Sept de Carreau, sont à placer sur le plan de son *présent* et ainsi de suite.

Soit, en quelques mots :

Dame de Cœur femme amicale et de bon conseil, présence affective « au féminin » mais qui n'existe pas encore — idée d'à-venir.

Huit de Trèfle assurance de réalisations des projets et des espérances.
Le futur est donc à l'optimisme, financièrement.

Dame de Pique femme plutôt veuve ou divorcée, inquiète et qui risque de provoquer des tourments. Ce message est « à-venir », d'ou une possibilité de surveillance et d'écartement.

Sept de Cœur annonce d'un mariage, d'une union très favorable à tous les points de vue : finances, amour. Mais l'idée d'avenir suppose peut-être que le consultant ne connaît pas cette personne ou que le projet est indépendant de ses liaisons présentes.

• **Troisième collection d'informations : les associations**

A l'intérieur de chaque groupe, les cartes ont des «rapports» entre elles. Ainsi, dans le groupe du centre, le *présent*, les cartes à l'instant de leur «côte à côte» ont des relations privilégiées.

La lecture du Tableau des associations apprend que 2 Dames (Dame de Cœur et Dame de Pique) donne un message de ... rencontre amicale et de dialogue, à condition que les cartes *se suivent*, ce qui n'est pas le cas puisque les 2 Dames sont séparées par un Huit de Trèfle.

En conclusion

La méthode de la Croix permet, en partant d'une seule carte, de situer le consultant dans un espace cosmique tout en ne le coupant pas du monde relationnel.

Le Grand Etteilla

Qui était Etteilla ?

L'impératrice Joséphine adorait se faire tirer les cartes et son cartomancien préféré, parce que probablement le plus doué et le plus flatteur, était un perruquier du nom de *Alleitte*. Or donc, cet homme de tête, féru de divination, trouva un jour un jeu de Tarot qu'on lui présenta comme créé et utilisé par les devins de l'ancienne Egypte, perfectionné par ceux de la moderne Egypte et par les bohémiens du Moyen-Age et ce, d'après le grand livre de la Cabale.

Alleitte, charmé par les illustrations et le symbolisme des cartes, ensorcelé par leur magnétisme — celui-là même qui permet aux intuitions, aux imaginations et aux dons de clairvoyance de s'exprimer — s'appropria l'œuvre tarotique. Il retourna sitôt son nom afin de conjurer le mauvais sort et *Alleitte* devint *Etteilla*.

Il eût raison car il devint fort riche. Le grand Etteilla, Tarot du Sieur Alleitte, était né.

Il fut plus tard remanié et mis au goût du jour par des

experts-ès-cartes de la Maison d'édition *J.M. Simon,* après avoir été redécouvert et diffusé par le célèbre Maitre *Carlier Grimaud* de Nancy, au siècle dernier.

Le Grand Etteilla mérite son succès auprès des amateurs d'arcanes car ces 78 lames sont d'une compréhension facile. La méthode de tirage, comme l'explique poétiquement le manuel qui accompagne les cartes, «tisse un lien entre le matérialisme terrestre avec ses joies, ses peines, ses soucis et le spiritualisme céleste où sont inscrits les faits hors de portée humaine». Et il est vrai que les cartes de ce Tarot sont d'une lecture aisée, si bien que les non professionnels y trouvent des messages divinatoires dépouillés d'un ésotérisme par trop hermétique.

Composition du jeu

Le grand Etteilla se compose de 78 cartes, numérotées de 1 à 78.

Le N° 1 et le N° 8 représentent *le* ou *la* consultante, tout en ayant, lors d'un tirage, leur signification spécifique.

Chaque carte porte deux titres écrits en français et en anglais ; en effet, les cartes ont un sens différent selon qu'elles apparaissent à la lecture droites (D) ou renversées (R), indépendamment de leur position isolée (I) ou à côté d'autres cartes (AC).

Les 12 premières cartes (de 1 à 12) ainsi que la dernière (78) portent des abréviations de mots et des symboles qui n'ont pas d'utilité lors des opérations divinatoires.

A titre documentaire, le tableau ci-dessous rappelle ces notations qui relèvent de la cartomancie et qui n'ont aucun rôle actif mais peuvent éventuellement servir de référence suggestive pour le cartomancien.

Tarots	Signes	Origines	Eléments
N° 1	Bélier	Le chaos	Néant
N° 2	Taureau	1er jour de la création	Feu
N° 3	Gémeaux	3e —	Eau
N° 4	Ecrevisse	2e —	Air
N° 5	Lion	6e —	Terre

Tarots	Signes	Origines	Eléments
N° 6	Vierge	4ᵉ —	Nuit
N° 7	Balance	5ᵉ —	et jour
N° 8	Scorpion	7ᵉ —	Repos
N° 9	Sagittaire	Mouvements	
n° 10	Capricorne	Mouvements	
N° 11	Verseau	Mouvements	
N° 12	Poissons	Mouvements	
N° 78	Zéro		

Il est à remarquer que certaines cartes ont des concordances avec celles des tarots plus anciens et provenant de diverses origines.

• Afin de permettre au cartomancien des liaisons heureuses, le tableau ci-dessous propose les **rapports entre certaines cartes du Grand Etteilla et celles d'autres tarots.**

FIGURES : Tarots correspondants			
Rois	*Dames*	*Cavaliers*	*Valets*
22 Le Monarque	23 La Souveraine	24 Le Chevalier du Guet	25 Le Messager
36 Le Pape	37 La Papesse	38 Le Cavalier romain	39 Le Camérier
50 L'Empereur	51 L'Impératrice	52 L'Ecuyer	53 Le Soldat
64 Le Soudan d'Egypte	65 La Reine de Saba	66 Le Cavalier tartare	67 Le Lazzarone

Illustration et signification des cartes du Grand Etteilla

Les 78 arcanes du Grand Etteilla sont claires d'accès quant aux mots qui s'y trouvent «en haut et en bas» de chaque carte. Par contre les motis, soit les scènes, les personnages, les allégories sont plus hermétiques; il peuvent servir de levain à des inspirations, à des intuitions pour qui possède un bagage ésotérique, religieux, mythologique, cabalistique..., ce qui n'est pas de la compétence de tout le monde.

Les illustrations des 78 arcanes se borneront à reproduire in-extenso les mots inscrits sur les cartes et ceux qui complètent ce premier message et qui se trouvent incorporés dans le recueil explicatif. En effet les énumérations de noms, d'adjectifs, les courtes phrases, donnés par l'auteur de ce tarot, sont suffissants pour une compréhension au premier degré.

Carte n° 1

Le Chaos

Droite : *Idéal*
Cette carte représente le consultant si c'est un homme.
Elle indique des qualités morales (vertu, bonté, loyauté...) qui profitent au consultant.

Renversée : *Sagesse*
Le consultant fera preuve d'esprit et de talent.

Carte nº 2

La Maçonnerie d'Hiram

Droite : *Eclaircissement*
Accommodement — arrangement à l'amiable — esprit clair et lucide — franche explication — générosité.

Renversée : *Passion*
Discordes — disputes — mésaventures — mésententes — tristesse.
Conseil de modérer ses colères.

Carte nº 3

L'Ordre des Mopses

Droite : *Discussion*
Cette carte symbolise les pourparlers et les discours.
Médisance — vive et longue discussion.
Réussite en affaires.

Renversée : *Instabilité*
Excursion — désir de changement — plaisirs champêtres.

Carte n° 4

La Piscine

Droite : *Révélation*
Dissipation d'un doute — secret dévoilé — opiniâtreté — privations à tous points de vue.

Renversée : *Manière d'être*
Pièges — maladie (refroidissement) mais peut signifier également intelligence et perspicacité.

Carte n° 5

L'Evangile

Droite : *Voyage*
Rapprochements avec qui vous êtes brouillé — regain d'activité — gains d'argent — heureux dénouement

Renversée : *Biens ruraux*
Difficultés dans les affaires (gestion) — perte d'argent, d'un bien matériel.

Carte n° 6

Le Ciel

Droite : *Secrets*
Passion née le jour — découverte d'une passion — amour naissant.

Renversée : *Vérités*
Passion née la nuit.
Etonnante rencontre.

Carte n° 7

Le Serpent

Droite : *Appui*
Bonheur conjugal (homme).
Mariage inspiré (jeune fille).
Protection.

Renversée : *Protection*
Déroute des ennemis.

Carte n° 8

Eve

Droite : *Ténacité*
Cette carte représente la consultante.
Révélations pénibles.

Renversée : *Progrès*
Maladie (refroidissement).

Carte n° 9

Salomon

Droite : *Justice*
Gain de cause — confiance.
La personne qui intéresse le consultant est sincère et loyale.

Renversée : *Législateur*
Intervention d'un homme de loi.
Procès difficiles.

Carte nº 10

L'Ange de l'Apocalypse

Droite : *Tempérance*
Excès néfastes.
Conseil de faire preuve de dévouement et d'abnégation.

Renversée : *Convictions*
Maladie.

Carte nº 11

David

Droite : *Force*
Succès — force physique et de caractère — victoire sur les ennemis.
Vous vous montrez nettement à votre avantage.

Renversée : *Pouvoir*
Problèmes avec des supérieurs — méfiance.
Ne soyez pas trop sûr de vous et ne faites pas usage de trop de pouvoir.

Carte n° 12

Moïse

Droite : *Prudence*
Ennui inattendu.
Ne faites confiance à personne.

Renversée : *Popularité*
Discussions violentes — querelles de prestige à fuir — attitude compromettante.

Carte n° 13

Le Grand Prêtre

Droite : *Mariage*
Union favorable.

Renversée : *Liaison*
Projets de mariage retardés — désespoir d'amour — peines de cœur.

Carte n° 14

La Force majeure

Droite : *Violence*
« Vous abandonnez la proie pour l'ombre ».
Problèmes.
Droite ou renversée, cette carte est toujours de mauvais augure.

Renversée : *Faiblesse*
Ennuis voire petite maladie.
Adultère.

Carte n° 15

Aaron

Droite : *Chagrins*
« Soignez vos nerfs, ils vous jouent des tours. »
Maladie — tristesse — mélancolie.

Renversée : *Maladie*
Pertes de mémoire — affections psychosomatiques quelquefois mauvais mariage.

Carte n° 16

Le Jugement Dernier

Droite : *Opinion*
«Votre sentence est juste, maintenez-la»
Décision attendue.

Renversée : *Arbitrage*
«Faites appel à l'arbitrage d'un ami».
Affaire jugée — victime d'injustices.

Carte n° 17

La Mort

Droite : *Décès*
«Pas d'imprudence, aucun projet».
Avoisinant une carte bien précise, elle annonce la mort.

Renversée : *Incapacité*
Déceptions — échec — maladie grave.

Carte n° 18

Judas

Droite : *Trahison*
Désaccords — pièges tendus — traîtrise.

Renversée : *Fausseté*
« N'écoutez pas ce qu'on vous propose, tout est faux ».
Désespoir du traître.

Carte n° 19

Le Capitole

Droite : *Misère*
Catastrophe — graves besoins d'argent — malheur.

Renversée : *Prison*
Emprisonnement pour fraude.

Carte n° 20

Nabuchodonosor

Droite : *Fortune*
Chance — réalisation de bénéfices.
Mais peut également signifier subite infortune.

Renversée : *Augmentation*
Elargissement des revenus mais également malheur.

Carte n° 21

Roboam

Droite : *Procès*
«Ne faites aucun procès à la légère, prenez un avocat».
Révolte étouffée — révolution.

Renversée : *Litige*
Discorde avec un supérieur — querelles.
Renversement de situation — changement politique.

Carte n° 22

Le Monarque

Droite : *Probité*
Arrivée d'un parent, d'un visiteur de province.
Personne de confiance.

Renversée : *Indulgence*
Ami sévère et un peu indulgent qui vous «secouera».

Carte n° 23

La Souveraine

Droite : *Vertu*
Bonnes récoltes pour le consultant s'il travaille la terre.
Arrivée d'une parente ou amie bien intentionnée, pouvant se rendre utile.

Renversée : *Dévouement*
On cherche à vous rendre service.
Opposition d'une femme.

Carte n° 24

Le Chevalier de Guet

Droite : *Changement*
Souffrance causée par l'éloignement d'une personne.
Tentative de mariage.

Renversée : *Séparation*
Problèmes avec le conjoint.
Risques de séparation.
Tentative pour désunir un couple.

Carte n° 25

Le Messager

Droite : *Originalité*
« Vous serez surpris par ce que l'on vous rapporte ».
Lettre — nouvelles.

Renversée : *Nouvelles*
Discussions très sensées.
Lettre sans intérêt — parfois mauvaise nouvelle.

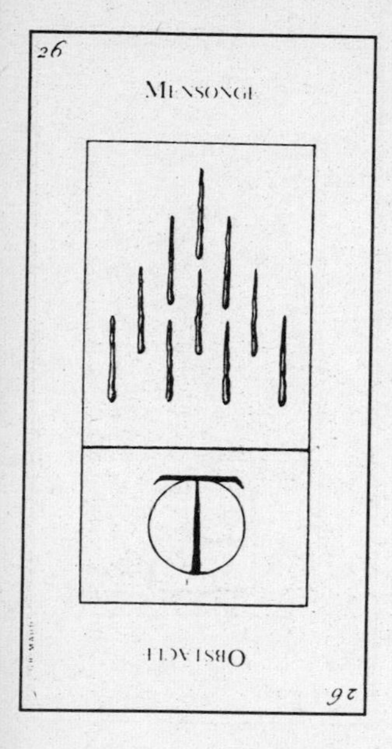

Carte n° 26

Les dix Bâtons

Droite : *Mensonge*
Propositions mensongères.
Trahison.
Contretemps professionnel.

Renversée : *Obstacles*
Bon travail.
Excursion annulée.

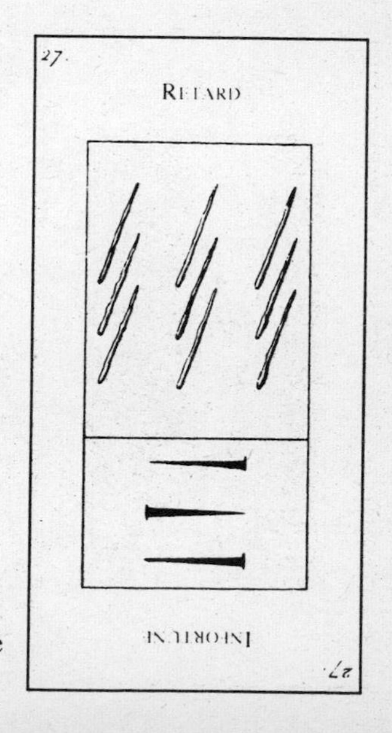

Carte n° 27

Les neuf bâtons

Droite : *Retard*
Satisfactions tardives.
Retard imprévu.
Contretemps professionnel.

Renversée : *Infortune*
Difficultés — embarras — obstacle surmonté mais avec difficulté.

Carte n° 28

Les huit bâtons

Droite : *Réjouissances*
Plaisir en perspective.
Voyage réussi.

Renversée : *Repentir*
Embarras — querelles — scènes de ménage.

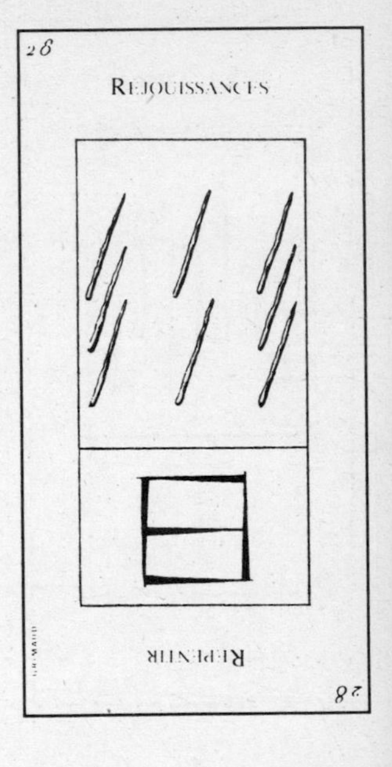

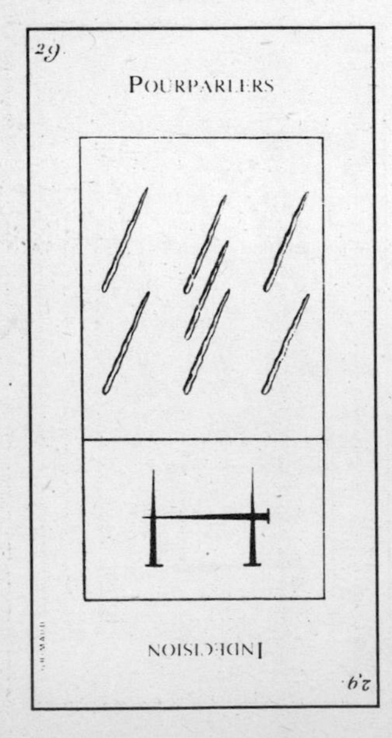

Carte n° 29

Les sept Bâtons

Droite : *Pourparlers*
Invitation prestigieuse.
Conversations.

Renversée : *Indécision*
Affaire en suspens — conversations inutiles.
Décision ferme à prendre.

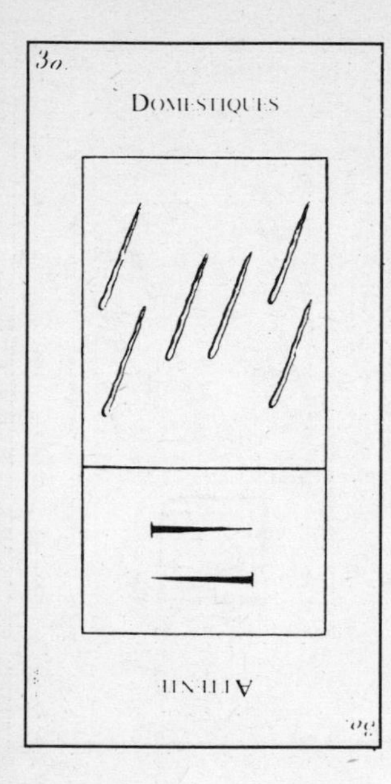

Carte n° 30

Les six Bâtons

Droite : *Domestiques*
Querelles concernant les domestiques — disputes d'intérêts — appel au prud'homme.

Renversée : *Attente*
Lettre égarée.
Travail au-dessus de vos forces.

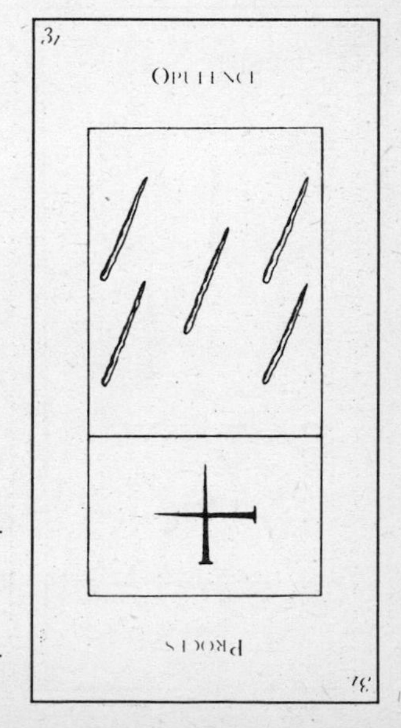

Carte n° 31

Les cinq Bâtons

Droite : *Opulence*
Gains laborieux, obtenus avec difficultés.

Renversée : *Procès*
Espoirs déçus — procès difficile et souvent perdu.

Carte n° 32

Les quatre Bâtons

Droite : *Contrat*
L'accord signé sera bénéfique — réussite en société — mondanités.

Renversée : *Prospérité*
Prudence dans les transactions commerciales.
Grossesse possible.

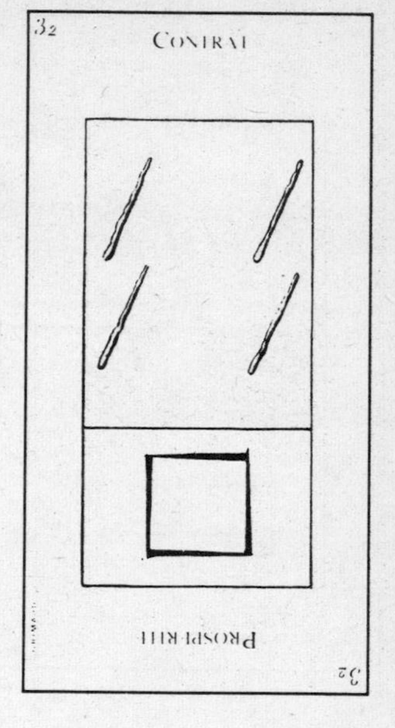

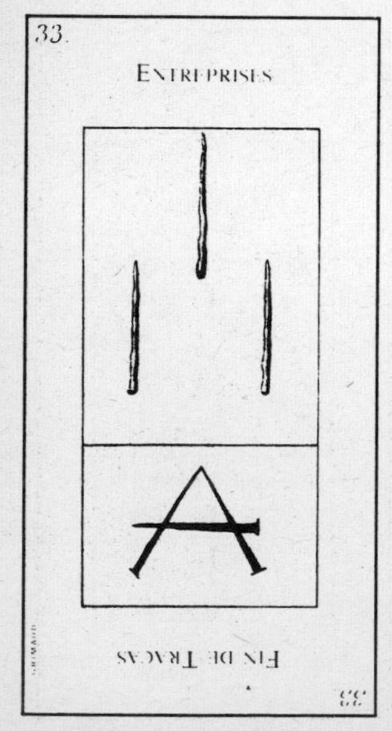

Carte n° 33

Les trois Bâtons

Droite : *Entreprises*
Effort demandé — bonnes affaires — réussite.

Renversée : *Fin de tracas*
Fin de vos ennuis très prochainement — profit mérité — récompense matérielle.

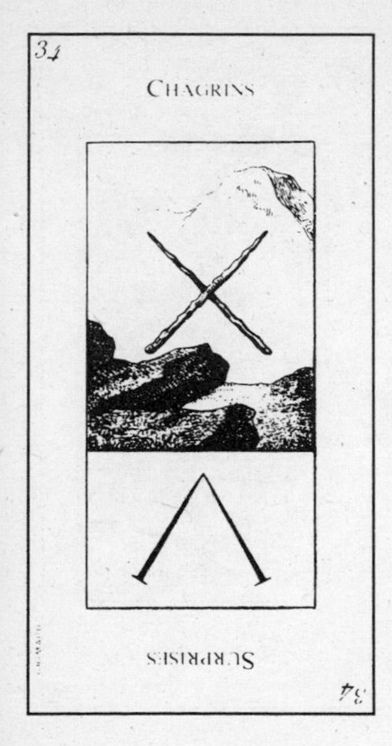

Carte nº 34

Les deux Bâtons

Droite : *Chagrins*
« Partir, c'est mourir un peu ».
Départ ou absence inattendue d'une personne chère.

Renversée : *Surprises*
Evénement inattendu — énorme surprise — retour d'une personne chère.

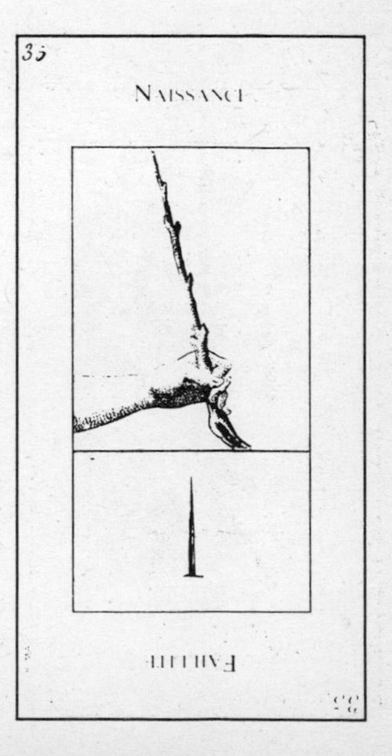

Carte nº 35

L'As de Bâton

Droite : *Naissance*
Enfant — paternité ou maternité probable.

Renversée : *Faillite*
Liquidation de vos affaires.
Avortement.

Carte n° 36

Le Pape

Droite : *Probité*
Remboursement de ce que l'on vous doit.
Homme bienveillant.

Renversée : *Malhonnêteté*
Homme fourbe et sans scrupules dans votre entourage — hostilité.

Carte n° 37

La Papesse

Droite : *Femme irréprochable*
Une excellente femme vient à vous.
Amabilité — bienveillance.

Renversée : *Femme corrompue*
Femme bien intentionnée.
Cette carte peut signifier également : duperie.

Carte n° 38

Le Cavalier romain

Droite : *Arrivée*
Honneurs sans profits.

Renversée : *Tricherie*
Tromperie sur la qualité d'une marchandise.
Trahison — mauvaise farce.

Carte n° 39

Le Camérier

Droite : *Garçon studieux*
Pour une femme : mariage promis à un bel avenir.
Pour un homme : avancement.
Jeune homme digne de confiance.

Renversée : *Affection*
Jeune homme indigne de confiance.
Amitié offerte.

Carte n° 40

Les dix Coupes

Droite : *Domicile*
Homme : il sera honoré.
Femme : autorité et doigté dans son foyer.
Honneurs — distinctions.

Renversée : *Colère*
Zizanie en famille — deuil possible — contrariétés — conséquences fâcheuses.

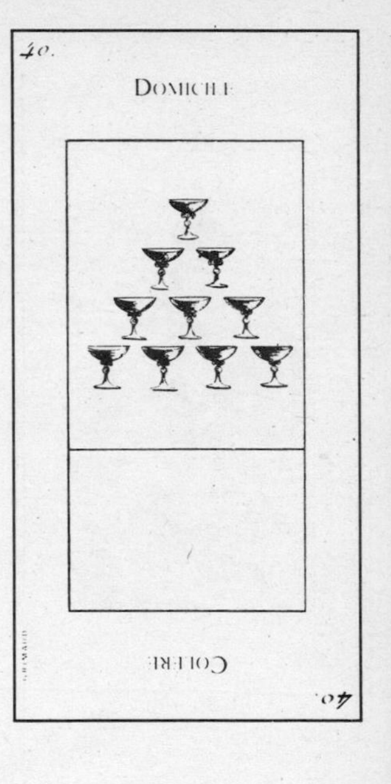

Carte n° 41

Les neuf Coupes

Droite : *Succès*
Chance — prospérité dans les affaires — victoire.

Renversée : *Réussite commerciale*
Affaire commerciale menée à bien.
Cette carte peut signifier aussi : erreurs.

Carte nº 42

Les huit Coupes

Droite : *Fille sincère*
Vous tomberez amoureux sous peu.
Amour durable — amitié d'une femme.

Renversée : *Bonheur*
Savourez votre bonheur.
Remboursement d'une dette.

Carte nº 43

Les sept Coupes

Droite : *Idées*
Projet de mariage.
Désir d'une femme.

Renversée : *Projets*
Projets plaisants et agréables.

Carte n° 44

Les six Coupes

Droite : *Le passé*
Plaisirs anciens.
Souvenirs et rappels utiles.

Renversée : *L'avenir*
Avenir agréable.
L'avenir corrige le passé.
Récompenses futures.

Carte n° 45

Les cinq coupes

Droite : *Héritage*
Patrimoine à protéger.
Petit héritage.

Renversée : *Parents*
Parent éloigné retrouvé.
Argent.

Carte nº 46

Les quatre Coupes

Droite : *Ennuis*
Relation épisodique causant des désagréments sérieux.
Société ennuyeuse.

Renversée : *Revers*
Revers de fortune — perte de situation.
Nouvelles connaissances, mais sans intérêt.

Carte nº 47

Les trois Coupes

Droite : *Soulagement*
Votre prestation aura du succès, tant sur le plan intellectuel qu'en affaires.

Renversée : *Travail courant*
Dénouement heureux d'une affaire ou issue incertaine lors d'un voyage.

Carte nº 48

Les deux Coupes

Droite : *Amour*
Sympathie — amour.
Bonheur en amour si le consultant ou la consultante ne sont pas encore liés.

Renversée : *Désir*
Désir comblé mais amour malheureux.

Carte nº 49

As de Coupe

Droite : *Réception*
Succès de votre réception — plaisirs de la table — excès alimentaire.

Renversée : *Changement*
Changez votre point de vue concernant une invitation.
Changement en affaires.

Carte nº 50

L'Empereur

Droite : *Homme de robe*
Soumettez vos problèmes à qui de droit.
Homme de robe intègre.

Renversée : *Homme méchant*
Homme à éviter pour le règlement d'affaires.
Difficultés — contrariétés sur le plan juridiquc.

Carte nº 51

L'Impératrice

Droite : *Veuvage*
Evénement fâcheux
Veuvage.

Renversée : *Femme méchante*
Femme haineuse envers vous.
Méchanceté — malveillance.

Carte n° 52

L'Ecuyer

Droite : *Militaire*
Courage de vos opinions.
Difficultés avec un militaire.
Action néfaste.

Renversée : *Ignorance*
Etudes à ne pas négliger.
Sottises — gaspillage.

Carte n° 53

Le Soldat

Droite : *Espion*
Indiscrétions de la part d'autrui — espionnage — ennemi secret.

Renversée : *Imprévoyance*
Agréable surprise — nouvelle inattendue — imprévu.

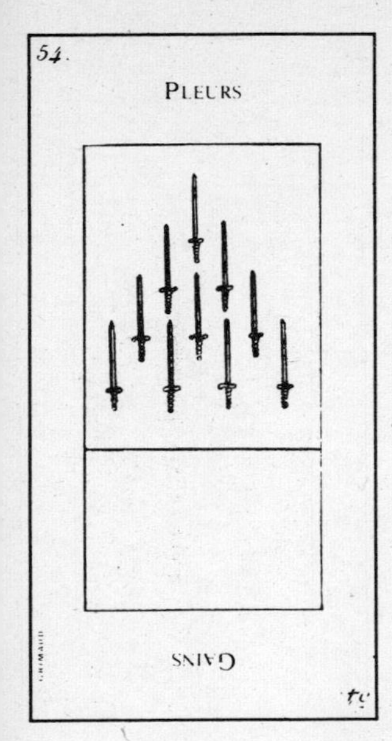

Carte nº 54

Les dix Epées

Droite : *Pleurs*
Peine causée par une nouvelle.
Chagrin.

Renversée : *Gains*
Autorité affirmée.
Avantage médiocre.

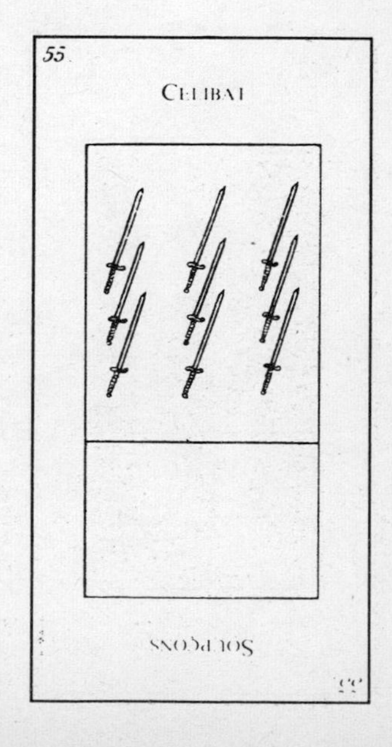

Carte nº 55

Les neuf Epées

Droite : *Célibat*
Attendez pour vous marier.
Malheur évité.

Renversée : *Soupçons*
Craintes fondées.
Ennui caché.

Carte n° 56

Les huit Epées

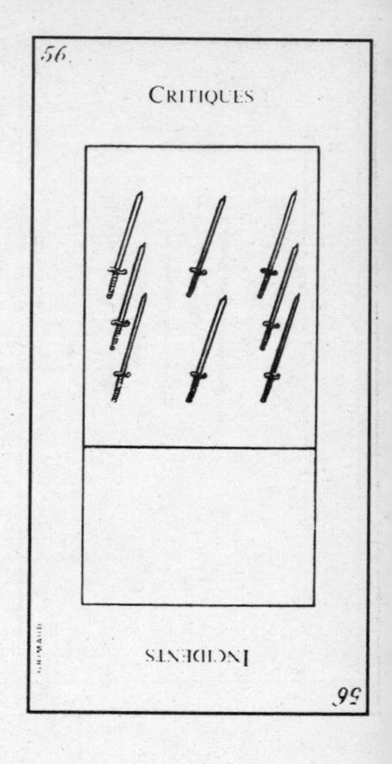

Droite : *Critiques*
Examen difficile.
Blâme.

Renversée : *Incidents*
Evénement fortuit et désagréable.
Blâme.
Satisfaction mineure.

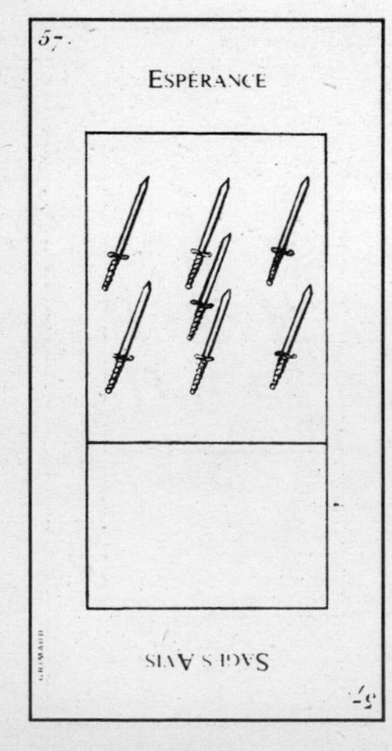

Carte n° 57

Les sept Epées

Droite : *Espérance*
Vous vivrez sur vos bénéfices.
Secours amical — espoir.

Renversée : *Sage avis*
Conseils à suivre avant d'entreprendre.

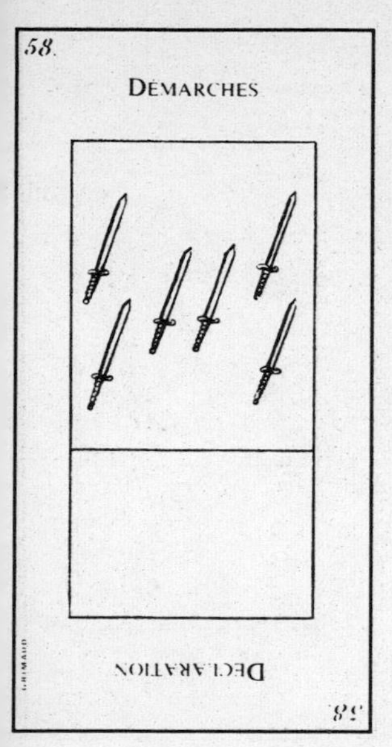

Carte n° 58

Les six Epées

Droite :*Démarches*
Voyage plein d'attrait.
Grand déplacement mais peut être interrompu.

Renversée : *Déclaration*
Vous seriez un témoin à décharge d'un grand poids.
Aveux — aide à autrui (procès).

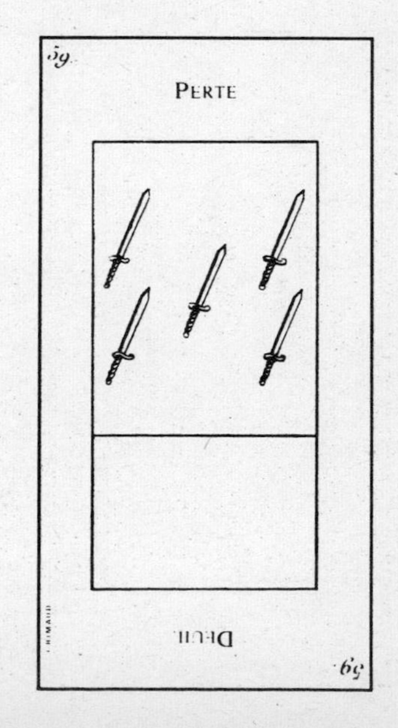

Carte n° 59

Les cinq Epées

Droite : *Perte*
Risque de ruine.
Décès d'un proche.

Renversée : *Deuil*
Deuil de vos espoirs.
Deuil d'une parente.

Carte n° 60

Les quatre Epées

Droite : *Solitude*
Vie en retrait à éviter.

Renversée : *Economie*
Epargne conseillée.
Problèmes financiers majeurs.

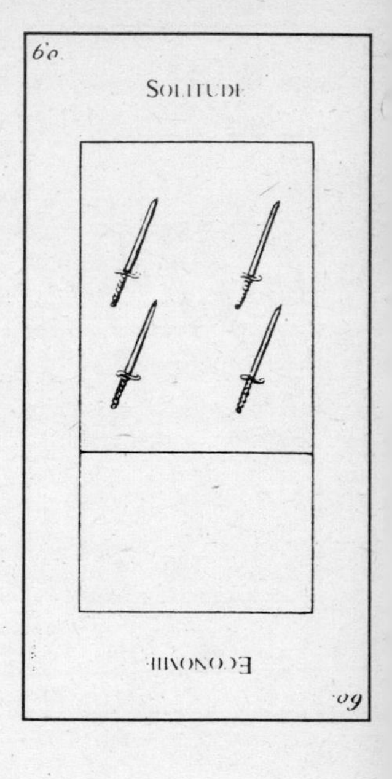

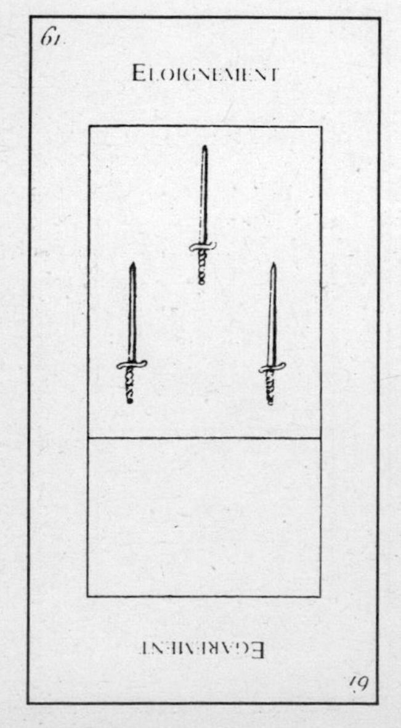

Carte n° 61

Les trois Epées

Droite : *Eloignement*
Ami (ou amie) inconstant(e).
Absence sur le plan sentimental — séparation.

Renversée : *Egarement*
Affaire louche.
Flirt.
Malheur en amour.

Carte n° 62

Les deux Epées

Droite : *Tendresse*
Affection dans votre entourage.
Détresse d'un ami.
Amitié.

Renversée : *Fausseté*
Mensonges autour de vous.
Un faux ami.
Inimitié.

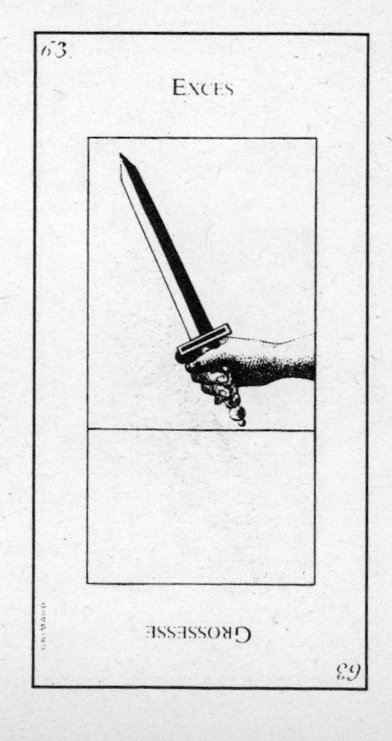

Carte n° 63

L'As d'Epées

Droite : *Excès*
Evénement sans importance.
Situation difficile.

Renversée : *Grossesse*
Grossesse possible (femme).
Fécondité (homme).

Carte n° 64

Le Soudan d'Egypte

Droite : *Négociant*
Mauvaises affaires avec un commerçant.
Homme bienveillant.

Renversée : *Vicieux*
Homme sans vergogne cherchant à vous entraîner.

Carte n° 65

La Reine de Saba

Droite : *Femme riche*
Femme cherchant à attirer par ses cadeaux.
Femme séduisante et éprise.

Renversée : *Irrésolution*
Femme non irréprochable.
Liaison avec une femme de petite vertu, de moralité douteuse.

Carte n° 66

Le Cavalier Tartare

Droite : *Profits*
Avantages.
Homme serviable qui se rendra utile.

Renversée : *Inaction*
Insouciance — défaillance de la personne sur laquelle on comptait — vos amis vous abandonnent.

Cate n° 67

Le Lazzarone

Droite : *Garçon studieux*
Succès aux examens — salarié.

Renversée : *Prodigalité*
Mauvaises fréquentations.
Jeu.

Carte n° 68

Les dix Ecus

Droite : *Le logis*
Moment propice pour l'achat d'une maison, d'un appartement.
Valorisation des biens-fonds.
Placement avantageux.

Renversée : *Jeu de hasard*
Hasard favorable.

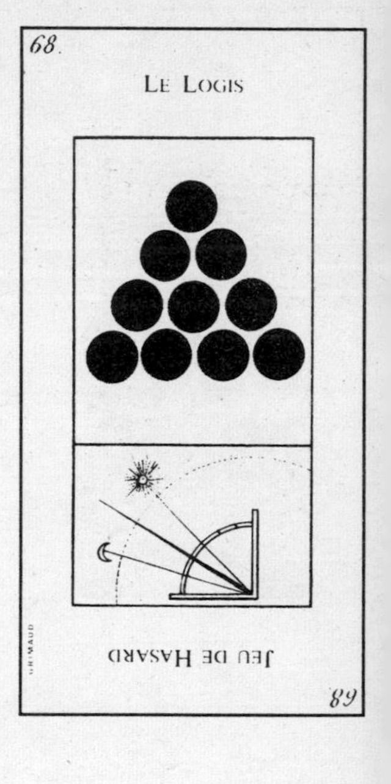

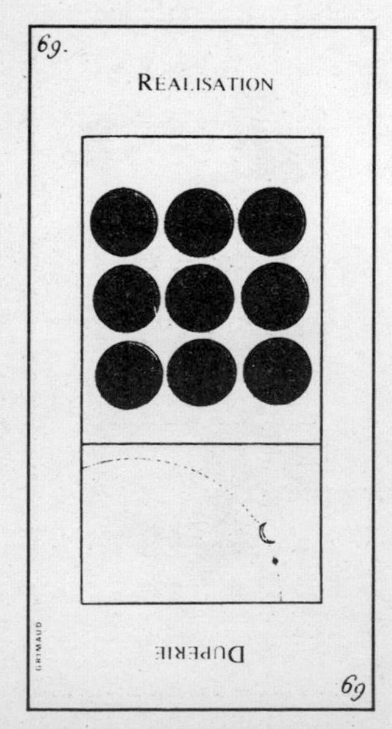

Carte n° 69

Les neuf Sequins

Droite : *Réalisation*
Projet irréalisable — non paiement d'un effet — chèque non-couvert.

Renversée : *Duperie*
Escroquerie envers vous.

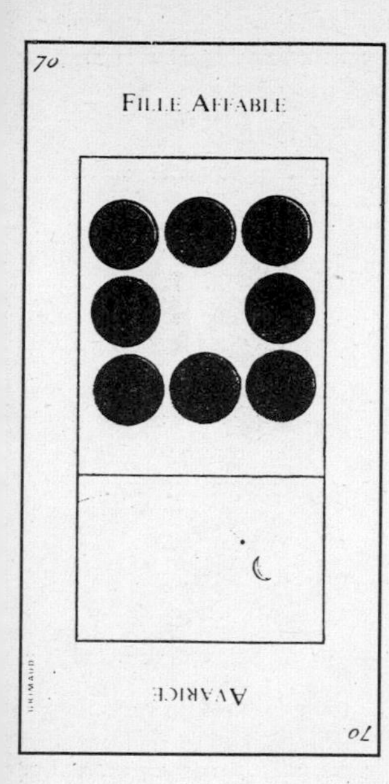

Carte n° 70

Les huit Ducats

Droite : *Fille affable*
Rencontre avec une femme dépensière.
Folies pour une femme.

Renversée : *Avarice*
Compromissions avec un usurier à éviter.
Petites pertes au jeu.

Carte n° 71

Les sept Florins

Droite : *Argent*
Acompte — un peu d'argent — recouvrement d'un montant dû.

Renversée : *Inquiétude*
Soucis d'argent — difficultés financières — gêne — besoin d'argent.

Carte n° 72

Les six Guinées

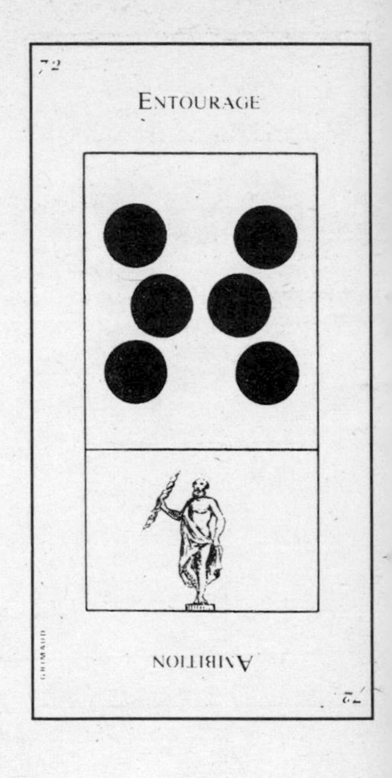

Droite : *Entourage*
Mauvais entourage.
Gêne mais argent à venir.
Retards d'encaissements.

Renversée : *Ambition*
Projet voué à l'échec.
Projet dispendieux.

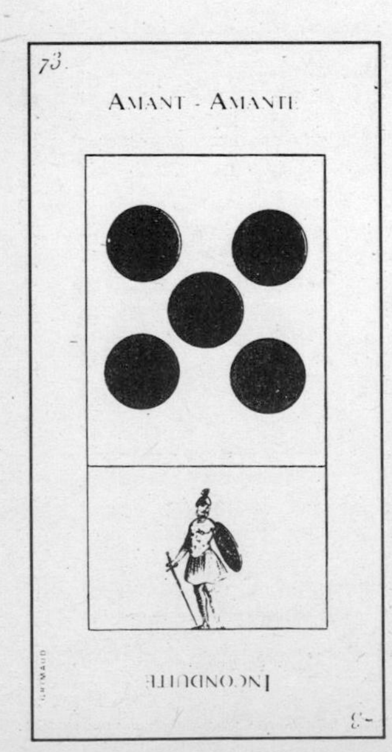

Carte n° 73

Les cinq Onces

Droite : *Amant, Amante*
Amour souriant,
Inégalité de fortune entre amants.
Obstacles financiers à un mariage.

Renversée : *Inconduite*
Peines de cœur.
Manque d'argent.
Difficultés.

Carte n° 74

Les quatre Ecus

Droite : *Cadeau*
Petit service rendu — petit cadeau — profit mineur.

Renversée : *Obstruction*
Opposition à vos projets.
Déception.

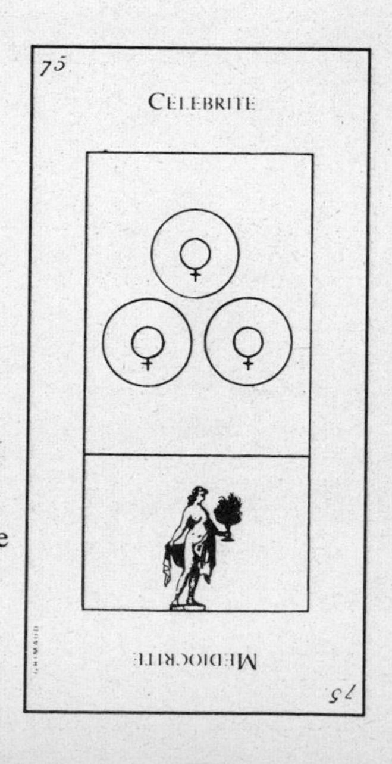

Carte n° 75

Les trois Ecus

Droite : *Célébrité*
Appui d'un personnage.
Emprunt de la part d'une personne digne de confiance.

Renversée : *Médiocrité*
Humiliation.
Enfant dépensier.

Carte n° 76

Les deux Deniers

Droite : *Embarras*
Difficultés à vous sortir d'ennuis — problèmes financiers.

Renversée : *Lettre*
Demande refusée.
Mauvaise nouvelle.

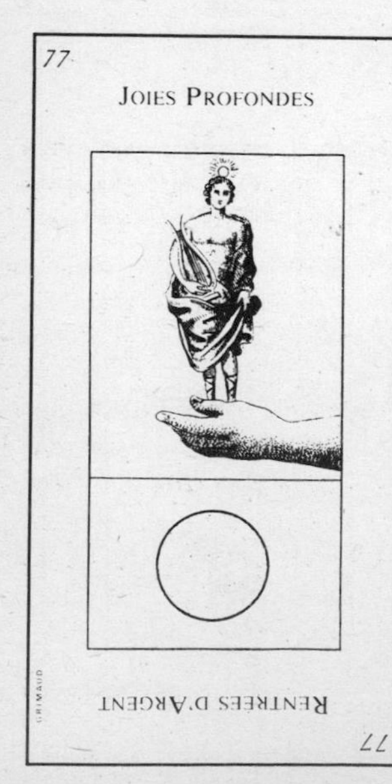

Carte n° 77

Le Soleil d'Or

Droite : *Joies profondes*
Bonheur durable et sans nuages.
Profit financier — argent imprévu.

Renversée : *Rentrées d'argent*
Aucun problème d'argent dans l'immédiat — argent trouvé.

Carte n° 78

L'Alchimiste

Droite : *Folie*
Attitude stupide.
Extravagance regrettable à venir.
Transformation de la situation

Renversée : *Egarement*
Erreur commise.
Folie (extravagance).

On constate que les 78 arcanes du Grand Etteilla ainsi présentés, ont certaines similitudes avec ceux du tarot symbolique : les 21 premières cartes correspondent aux 21 arcanes et les 56 autres lames correspondent exactement aux arcanes mineurs. Les Bâtons, Epées, Coupes et Deniers réapparaissent et la famille complète : Roi, Dame, Cavalier, Valet et Dix chiffres, est fidèle au rendez-vous...

Qu'importe cependant si le Roi de Bâtons est consacré Roi de France et l'As d'Epées, Epée de Saint Pierre, l'essentiel étant que le cartomancien y trouve ses substances divinatoires.

A remarquer qu'une carte est renversée lorsque le dessin est orienté à l'envers ou que le rectangle jaune, sur les cartes mineures, se trouve en haut.

Pour les symbolistes puristes, le tableau ci-dessous compare les noms des arcanes majeurs du tarot d'Etteilla avec ceux du tarot symbolique.

	Tarot symbolique	Tarot d'Etteilla
0	*Le Mat ou le Fou*	*L'Alchimiste ou le Fou*
1	*Le Bateleur*	*Le Consultant*
2	*La Papesse*	*Maçonnerie d'Hiram*
3	*L'Impératrice*	*Ordre des Mopses*
4	*L'Empereur*	*La Piscine*
5	*Le Pape*	*L'Évangile*
6	*L'Amoureux*	*Le Ciel*
7	*Le Chariot*	*Le Serpent*
8	*La Justice*	*La Consultante*
9	*L'Ermite*	*Salomon*
10	*La Roue de Fortune*	*L'Ange de l'Apocalypse*
11	*La Force*	*David*
12	*Le Pendu*	*Moïse*
13	*La Mort*	*Le Grand Prêtre*
14	*La Tempérance*	*Ève*
15	*Le Diable*	*Aaron*
16	*La Maison-Dieu*	*Le Jugement dernier*
17	*Les Étoiles*	*La Mort*
18	*La Lune*	*Judas Iscariote*
19	*Le Soleil*	*Le Capitole*
20	*Le Jugement*	*Nabuchodonosor*
21	*Le Monde*	*Roboam*

Cérémonial classique

• **Brasser les cartes** et faire couper par le ou la consultante, de la main gauche. Le consultant est invité, avant de procéder à un tirage, à brasser (et non battre) les cartes, faces cachées, en n'hésitant pas à les renverser afin que certaines se présentent *droites* et d'autres *renversées*. Là, est en effet une des caractéristiques du jeu qui permet d'obtenir à propos d'une même carte, deux messages différents, non forcément contraires et ce, selon leur position.

• Compter les cartes jusqu'à *cinq* et retirer cette cinquième carte qui sera exposée, face visible. Continuer à retirer toutes les cinquièmes cartes qui seront disposées de gauche à droite, les unes à côté des autres. Répéter cette opération autant de fois qu'il est nécessaire **pour obtenir 45 cartes.**

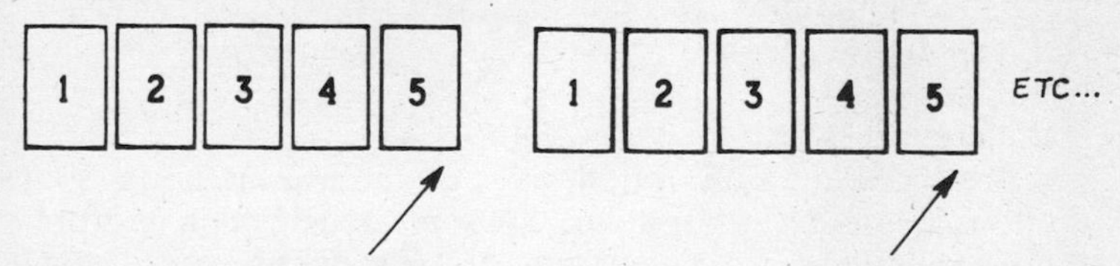

• Lorsque les 45 cartes sont sorties, retirer toutes les septièmes cartes, soit dans l'exemple, les cartes marquées d'une flèche :

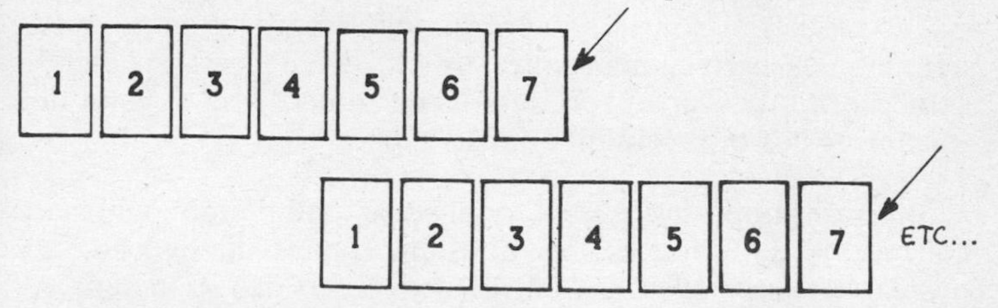

Les cartes ainsi désignées par ce deuxième comptage sont à disposer en **une ligne de 6 cartes** — on pourrait dire une phrase de quinze mots que le cartomancien doit décrypter au profit de son consultant.

L'interprétation

• Chaque carte est à interpréter en fonction de son message personnel, en observant sa position droite ou renversée.

• **L'interprétation des septièmes cartes doit être répétée à quatre reprises :** sans reprendre les cartes déjà interprétées, le cartomancien compte en une deuxième opération les septièmes arcanes; puis en un troisième tour, toujours sans reprendre les tarots déjà interprétés, il complète son analyse divinatoire.

Quinze cartes sont donc retirées qui serviront de support à la consultation.

• Le manuel joint au coffret contenant les cartes du Tarot du Grand Etteilla, donne quatre méthodes extrêmement bien détaillées et fort attrayantes :

○ Les trois marches
○ L'échelle de Jacob
○ Les colonnes
○ Le creuset

Les messages que l'on obtient avec ces quatre méthodes sont d'une richesse exceptionnelle, car sont associés des interprétations relativement faciles et, au premier degré, une sorte de cheminement psychologique qui ressemble fort à un processus d'individuation.

Ces méthodes sont d'un cérémonial assez long en positionnement des cartes, mais elles ont le privilège d'associer le symbolisme des cartes, en dessins et en couleurs, à celui des formes et des mouvements dans l'espace.

L'interprétation des cartes peut être complétée par deux collections d'influences, les unes provenant du «voisinage» des cartes entre elles, les autres provenant des «rencontres» qu'elles peuvent faire.

Le voisinage des cartes

Les interprétations proposées sont à nuancer par les associations que les cartes font entre elles. A ce sujet, le recueil explicatif qui se trouve dans le coffret des cartes, fait état de deux types de «voisinage».

Des cartes peuvent être côte à côte avec la carte tirée, il s'agit alors d'un «avec»; lorsque deux ou trois cartes séparent la carte tirée et celle d'accompagnement, il s'agit alors d'un «près de». Et les messages sont quelque peu différents selon l'un ou l'autre cas, d'autant que les cartes peuvent être de plus droites (D) ou renversées (R).

Par exemple,, l'arcane n°1 *Le Chaos* a , avec les autres cartes, des rapports de bon ou de mauvais voisinage, soit :

Droite avec la carte n° 47 .... échec
Droite avec la carte n° 71 .... perte légère
Droite avec la carte n° 78 .... erreur
Renversée avec les cartes 14,17,18 .... mauvais présage
Renversée entre un Roi et une Reine .... mariage et succès

Les rencontres des cartes

Il est rare que plusieurs cartes de même valeur se suivent sans interprétation dans un tirage. Lorsque ces «rencontres» se produisent, le devin doit en tirer des présages particuliers et cela quelle que soit leur orientation, droite ou renversée.

Tableau des Rencontres

Quatre Rois : Honneurs et réussite en affaires.
Trois Rois : Visite médicale,
Deux rois : Projets réalisables.

Quatre Dames : Plaisirs et discussions.
Trois Dames : Risque de tromperie.
Deux Reines : Franche amitié.

Quatre Cavaliers : Bonheur et réussite en amour.
Trois Cavaliers : Nouvelles agréables.

Deux cavaliers : Revers de fortune (surtout avec le 52).

Quatre Valets : Liaison.
Trois Valets : Dispute.
Deux Valets : Inquiétude et colère.

Plusieurs Epées (au moins 2 cartes) : Querelle.
Plusieurs Coupes (au moins 2 cartes) : Agapes.
Plusieurs Bâtons (au moins 2 cartes) : Voyages, déplacements.
Plusieurs Deniers (au moins 2 cartes) : Gains.

La Sibylle des Salons

Ce jeu de tarot divinatoire a été élaboré dans le courant du 19e siècle par quelques praticiens ès-cartomancie. Leur but était de permettre à toute personne sans bagage ésotérique de se tirer les cartes par une méthode claire et facile d'accès.

Ce tarot était destiné à une certaine société parisienne — d'où son autre nom de *Tarot parisien* — appréciant les archétypes des bonnes convenances, du bien et du mal élevé, du riche et du pauvre, du bourgeois et du paysan... bref de toute la panoplie à coloration manichéenne des bons et mauvais sentiments, des récompenses et des punitions. Tout cela fut fort bien raconté par la Comtesse de Ségur dans ses livres destinés, entre autres, aux petites filles modèles.

Or, les images de ce tarot mondain n'attendaient que la patte et la pâte d'un maître-cartier et le doigté psychologique d'un érudit cartophile et tarologue pour devenir un tarot universel. En effet, les dessins des cartes sont plaisants ; les personnages parlent à l'imagination par leur attitude, leur mimique et leur costume et les tableaux proposés ressemblent aux saynètes du théâtre quotidien dont les dénouements sont fort moralisateurs. Certains acteurs possèdent même de Daumier certains traits caricaturaux, et certains décors semblent tout droit sortis du magasin des accessoires des Imageries d'Epinal.

C'est ainsi que la Sibylle des Salons est devenue l'un des tarots divinatoires préférés de nombre de cartomanciens possédant une intuition développée et quelques clichés de clairvoyance mais ne souhaitant pas alourdir leur connaissance divinatoire par un bagage initiatique lourd à manier.

De plus, chaque carte comprend l'une des figures du jeu de carte classique ; cette présence permet à ce tarot d'être utilisé comme jeu de piquet ordinaire mais sutout «ces cartes dans les cartes» servent à opérer des rapprochements et des compléments d'information au moment des interprétations, puisque les messages des cartes «ordinaires» s'ajoutent à ceux des cartes de la Sibylle des Salons.

Composition du jeu

La Sibylle des Salons se compose de 52 cartes numérotées de 1 à 52. Chaque carte reproduit au coin supérieur gauche une carte du jeu «ordinaire»; quant aux images, elles représentent une «scène de la vie quotidienne» à la Balzac, une allégorie comme le jeu, la mort, l'amour, enfin des faits archétypiques de l'existence : les contrariétés, la maladie, le mariage...

Eu égard au fait que, lors du tirage, les positions droite et renverséc ont leur importance, chaque carte possède deux séries de messages qui ne sont d'ailleurs pas toujours contraires.

Comme le tarot la Sibylle des Salons fait l'objet de deux systèmes d'interprétation, l'une basée sur la classification des cartes secondaires selon la chronologie trèfle, cœur, carreau, pique, l'autre ayant comme assiette la symbolique des illustrations, il sera tenu compte, dans l'exposé de chaque arcane, des ces manières de «sentir» les cartes. Ces deux séries de messages qui n'ont très souvent aucune concordance entre elles, permettant certainement aux cartomanciens de réaliser des exploits divinatoires en élaborant des combinaisons et en synthétisant les présages.

Analyse et illustration des 52 cartes

Dans les commentaires sur la valeur des cartes, les deux séries de messages sont signalées de la manière suivante :

S : message donné par les symbolistes.

G : message donné par *Grimaud*, fabricant du jeu.

Protecteur — *Roi de Trèfle*

Un homme décoré.

Droite

S Un ami loyal est prêt à secourir le consultant.

G Le consultant est assuré de la protection pleine et entière d'un homme loyal et bon.

Renversée

S Attention aux mauvaises humeurs et à la suceptibilité d'un personnage de l'entourage du Consultant.

G Le conseil est important pour le consultant puisqu'il semble qu'un personnage dangereux gravite dans son entourage et soit néfaste pour ses projets en cours.

Amie sincère — *Reine de Trèfle*

Une personne âgée un mouchoir à la main.

Droite

S Le consultant est assuré d'aide et de protection ; notamment se trouve dans son entourage une dame digne de toute sa confiance.

G Le consultant va faire connaissance d'une dame riche et veuve.

Si le consultant est une jeune fille, attention à quelques traîtrise et infidélité.

Renversée

S Que le consultant se méfie d'une dame indigne de sa confiance et de son amitié.

G Une personne de l'entourage du consultant cherche à lui nuire.

Flatteur — *Valet de Trèfle*

Un courtisan avec un huissier.

Droite
S Une personne dynamique de préférence un jeune homme, va apparaître dans la vie du Consultant. Elle apportera courage et compétence pour les réalisations en cours.
G Possibilité de rencontre sentimentale pour une consultante. Sinon le message est à l'optimisme et à l'amitié.
Renversée
S Attention à un flatteur qui ne voudra pas que du bien.
G Que le consultant se méfie d'une personne apparemment sympathique mais aventurière, prodigue et infidèle. Le message est à la déception.

Succès — *Dix de Trèfle*

Couronnement d'un lauréat.

Droite
S Message de réussite grâce au savoir-faire et à la conscience professionnelle.
G Réussite en affaires.
Renversée
S Message de moindre succès, mais excellente prévision cependant.
G Le conseil est donné au consultant d'éviter tous placements et jeux d'argent.

Présents *Neuf de Trèfle*

Porteur de cadeau suivi d'un serviteur.

Droite
S Le consultant est informé que des profits financièrement importants lui sont réservés. Qu'il surveille les coïncidences et les opportunités qui ne manqueront pas de se présenter à lui.
G Message de riche mariage et de gains au jeu.
Renversée
S Un présent de peu de valeur sera offert au consultant.
G Un conseil de prudence est donné : que le consultant soit attentif à toutes propositions. Qu'il se rappelle l'histoire du Cheval de Troie!

Dépit *Huit de Trèfle*

Femme exprimant de la jalousie.

Droite
S Le consultant peut compter sur une personne aimable et de bons conseils, de préférence une jeune femme.
G Si le consultant est un jeune homme, il est assuré de profit important, ses espérances se réaliseront. Si le consultant est une jeune fille, fiancée ou vivant maritalement, le message est peu favorable. Il semble que son «amoureux»ne soit pas crédible.
Renversée
S Si le consultant est une jeune femme, qu'elle craigne quelque médisance. Il y a de la tromperie dans son entourage et celle-ci viendra de qui justement elle souhaite la fidélité.
G Un problème d'argent est à craindre. Il faut éviter des prêts et des propositions usuraires.

Un peu d'argent — *Sept de Trèfle*

Un militaire devant une table de victuailles.

Un peu d'Argent.

Droite
SUne créance sera remboursée.
G Quelques gains modestes attendent le consultant.
Renversée
S La dette en question ne sera remboursée qu'en partie. Le débiteur du consultant fera sienne cette maxime : «payer ses dettes porte malheur»!
G Le consultant a peut-être raison de craindre des difficultés financières.

Ennemi — *Six de Trèfle*

Un guet-apens.

Ennemi.

Droite
S Une idée de danger est suggérée mais peut-être celui-ci est-il nécessaire comme le prétend *Zadig* de Voltaire : «sans la bile l'homme ne saurait vivre»...
G Un danger menace le consultant. Qu'il apprenne donc la psychologie de la colère.
Renversée
S Le danger ou les dangers pouvant exister sont écartés; le message est ainsi à l'espérance.
G Un conseil de limiter ses ambitions est donné au consultant.

Victoire *Cinq de Trèfle*

Une statue ailée.

Victoire.

Droite
S Un message de victoire en tout genre est donné au consultant. Comme l'a écrit Marie-Joseph de Chênier sur une musique de Méhul : «La Victoire en chantant ouvre les barrières...» de toutes les réussites !
G Le consultant est aimé, adoré. Il ou elle sera pleinement heureux en amour et en richesse. Que sa vie sera heureuse puisqu'elle «commence par l'Amour et se continue par l'Ambition...» !
Renversée
S Une vitoire certaine est annoncée mais avec quelque retard.
G Les sentiments amoureux du consultant sont mal placés. Des risques de séparation et de discorde sont signalés.

Partie de Campagne *Quatre de Trèfle*

Promenade à dos d'âne.

Partie de Campagne.

Droite
S Des risques d'accident sont signalés. Mais comme il est dit que «ce sont les accidents qui font les artistes...» le consultant peut en tirer un présage de création et de production fort lucrative.
G De très bonnes nouvelles sont promises au consultant, notamment une rentrée d'argent ou quelque chose comme une surprise financière.
Renversée
S Le consultant doit surveiller sa santé et celle des siens.
G Quelques difficultés sont présagées dans les affaires en cours. Le message est à la patience et à la prudence.

Espérance

Trois de Trèfle

Une femme sur un rocher.

Droite

S Le consultant a raison d'être courageux et persévérant car ses efforts seront couronnés de succès.

G Le message est aux succès, aux honneurs et à la fortune.

Renversée

S Que d'efforts inutiles, que de fatigues vaines... ! Le message est à la patience et à l'attente d'opportunités. Pour l'instant, rien ne bouge, tout est statique comme le rocher de l'image.

G Quelques difficultés dans le travail sont annoncées. Si le consultant est une femme, il lui est annoncé une maternité.

Fidélité et Attachement

Deux de Trèfle

Femme caressant un chien.

Droite

S Le consultant est assuré de la présence d'ami(e) (s) généreux, fidèles et à l'écoute de ses problèmes.

G Des problèmes de travail sont présumés : chômage, faillite, licenciement... Le conseil est donc donné au consultant de faire des économies et de gérer ses biens en les épargnant.

Renversée

S Attention à la présence de faux-amis. Comme le dit Hugo : « La moitié d'un ami, c'est la moitié d'un traître ».

G Quelques nouvelles désagréables sont annoncées au consultant.

Beaucoup d'argent *As de Trèfle*

Un usurier comptant ses deniers.

Droite
S Le consultant est assuré de bonnes rentrées d'argent.
G Une chance insolente est présagée dans tous les jeux de hasard : loterie, loto, course de chevaux, bourse, jeux de casino... Que le consultant attrape vite Dame Fortune par les cheveux d'autant qu'étant aveugle, il n'est pas certain que le gagnant ne soit pas aussi le perdant... plus tard !
Renversée
S Le consultant reçoit un message de joie et d'optimisme mais fugaces.
G Quelque retard pour gagner : « Faites vos jeux, rien ne va plus... » mais le numéro du consultant sortira quand même.

Militaire *Roi de Carreau*

Un capitaine de cavalerie.

Droite
S Une présence hypocrite est à éviter dans l'entourage du consultant. Attention donc aux masques de la bonne foi qui sont si bien faits qu'on les croit vrais.
G Le consultant est assuré d'une aide efficace. Il peut s'agir d'un homme d'affaire avisé, d'une tierce personne courageuse et dynamique.
Renversée
S Un danger d'ordre général est annoncé. Le consultant pourra l'éviter par sa prudence et son extrême attention, y compris avec les personnages qui ont comme on dit « un certain rang » et un certain prestige mais dangereux.
G Que le consultant écoute les conseils.

Qu'il soit à l'image des trois petits singes de la sagesse chinoise « ne rien avoir vu, ne rien avoir entendu, ne rien avoir à dire... » mais cependant tout savoir !

Méchante femme

Dame de Carreau

Mégère en colère.

Droite

S Le message est à la médisance. Que le consultant médite cette pensée de saint François de Sales « les crocodiles n'endommagent que ceux qui les craignent, ni certes la médisance sinon ceux qui s'en mettent en peine », Peut-être y a-t-il là l'annonce, pour le consultant, de son entrée dans une vie dévote !

G Certainement un dilemme affectif pour le consultant, car il semble qu'une femme fort médisante et jalouse lui soit cependant utile et peut-être sentimentalement attachée.

Renversée

S Le message est à la médisance mais peut-être tempérée par une issue favorable. Le consultant ne doit pas prêter l'oreille à tout ce qu'on pourra dire sur lui ou à propos des personnes qu'il estime.

G Une femme animée de mauvaises intentions est à surveiller du coin de l'œil. Que le consultant refuse toute querelle et toute prise à partie car il en sortirait meurtri.

Voleur — *Valet de Carreau*

Un homme romanichel ou bohémien avec un bâton et des sacs.

Droite

S Le message est au doute. Le consultant doit surveiller les nouvelles et les propos fallacieux qu'on lui porte et rapporte ; le conseil est que le consultant ne soit sûr de rien.

G De très bonnes nouvelles sont annoncées au consultant. Elles viendront peut-être de l'étranger.

Si le consultant est une femme, les nouvelles en question parleront d'amour et seront fort agréables à lire et à croire.

Renversée

S De mauvaises nouvelles sont en route.

G De la tromperie est présagée. Des lettres contenant des propos mensongers attristeront le consultant.

Voyage — *Dix de Carreau*

Un commis-voyageur au départ de la diligence

Droite

S Un voyage, une nouvelle situation, ou un nouveau départ dans la vie sera proposé au consultant.

G Le consultant peut préparer ses bagages : une excellente proposition de travail ou de changement d'existence lui est présagée. Qu'il accepte de partir, de s'expatrier car une réussite certaine et fructueuse est au bout de la route.

Renversée

S Un mauvais départ est annoncé ; il peut s'agir d'un retard, d'une proposition trompeuse, d'un sentiment malhonnête. Le consultant restera sur son quai d'embarquement, le cœur triste.

G Les démarches entreprises pour changer de situation n'aboutiront pas dans l'immédiat. Le conseil est à la patience.

Contrariété, déplaisir

Neuf de Carreau

Entracte au théâtre.

Droite
S Toute une kyrielle de petites contrariétés vont contrecarrer les desseins du consultant.
G Le conseil est donné au consultant d'ajourner ses décisions. L'avenir ne lui appartient pas encore ; pour l'instant « il n'est pas retardataire... » selon la formule de J. Cocteau.
Renversée
S Quelques conflits d'ordre sentimental sont à craindre. Le consultant aura à méditer sur les trois thèmes : amour, absence et inconstance.
G Le consultant est informé que des difficultés vont gêner la bonne réalisation de ses projets.

Empêchement

Huit de Carreau

Une route barrée.

Droite
S Des moments agréables sont proposés ; peut-être s'agira-t-il de rencontres amoureuses, de repas en tête-à-tête et cœur-à-cœur.
G Pique-nique, surprise-partie, soirée amicale... le consultant ne s'ennuyera pas !
Renversée
S Apparemment les projets du consultant ne pourront aboutir car des obstacles sont à prévoir.
G Des conflits affectifs, quiproquos, querelles, dont les torts seront certainement des deux côtés, sont présagés.

Caquets *Sept de Carreau*

Discussions entre commères.

Caquets.

Droite
S Des problèmes de susceptibilité sont à craindre. On se moquera, on critiquera et on médira sur le compte du consultant.
G Le consultant risque des petits problèmes de nervosité. C'est dommage, car quelques chances passagères sont annoncées qu'il pourrait attraper par les cheveux.
Renversée
S Quelques ambiances agaçantes sont annoncées : trop de bruit, de remue-ménage, de « caquetterie »...
G Une décision est à prendre par le consultant : le moment est favorable à condition qu'elle soit prise immédiatement.

Absence *Six de Carreau*

La femme au médaillon.

Absence.

Droite
S De jolis succès sont annoncés au consultant; ils seront petits et peut-être sans grande importance mais ils seront rafraîchissants à vivre.
G Des moments de fatigue, de faiblesse sont annoncés au consultant.
Renversée
S Le consultant se sentira dans un état de léthargie avec des petites crises d'inquiétude.
S La vie de cœur du consultant est menacée. Qu'il attende avant de prendre des décisions engageant son avenir affectif.

Réconciliation *Cinq de Carreau*

Duellistes se serrant la main.

Réconciliation.

Droite
S L'image est limpide : un message de réconciliation.
G Un mariage de raison est annoncé au consultant.
Renversée
S L'image est également claire, mais à l'envers : un message de brouille est présagé.
G Le conseil est important : il est suggéré au consultant de ne pas se lancer dans des procédures et de calmer ses colères même s'il a raison. Un bon arrangement, selon la formule, est souhaitable.

Révélations importantes *Quatre de Carreau*

Révélations importantes.

Droite
S Le consultant se trouvera mêlé à de sombres histoires de secrets, de confidences et de ragots.
G Un message de conférence, de réunion politique et syndicaliste est donné. Les résultats de ces assemblées seront profitables pour le consultant.
Renversée
S Attention à des indiscrétions. Le consultant se sentira épié, ses ambiances de vie seront «en forme d'oreille».
G Un excellent message de prospérité et de réussite en tout genre est donné au consultant.

Le consultant — *Trois de Carreau*

Un homme assis, il attend...

Droite ou **Renversée**
Le consultant, mais aussi un message de persévérance et de bonne réalisation des projets en cours.

Plaisirs, divertissements — *Deux de Carreau*

Jeux et jouets, divertissement.

Droite
S De grandes joies sont annoncées au consultant. Non seulement dans le domaine de ses loisirs mais dans sa vie en général.
G Des petits problèmes de jalousie, des malentendus vont ternir l'optimisme du consultant.
Renversée
S Des petites satisfactions, à saisir au vol, sont présagées.
G Un message d'espérance est donné puisque des surprises agréables sont présagées. Le consultant vivra de merveilleux moments de détente.

Une lettre — *As de Carreau*

Un facteur.

Une Lettre.

Droite
S Le message est élémentaire : le consultant va recevoir une lettre importante.
G. Il est conseillé au consultant de se garantir par des assurances adéquates, y compris contre le feu...
Renversée
S Il est possible que le consultant reçoive de mauvaises nouvelles.
G Le consultant va bénéficier d'un climat familial très favorable.

Rentier — *Roi de Cœur*

Un homme arrivé.

Rentier.

Droite
S Le consultant est assuré de l'aide d'un protecteur efficace.
G Malgré les problèmes et malgré la présence de personnes envieuses, le consultant est garanti d'avoir un ami qui le secourra dans les moments difficiles.
Renversée
S Un contretemps est annoncé au consultant. Rien de dramatique mais un peu d'agacement.
G Des pertes financières sont annoncées. Le consultant doit être prudent aussi bien avec son activité qu'avec ses économies.

Tendresse *Dame de Cœur*

Amour maternel.

Droite
S Une personne aimante va apparaître dans la vie du consultant.
G Selon la formule, «une femme blonde veut du bien» au consultant.
Renversée
S Une petite déception est à craindre.
G Le consultant va se trouver mêlé à des conflits conjugaux et des querelles de ménage. Attention à des infidélités et des inconstances.

Visite *Valet de Cœur*

Réception d'amis.

Droite
S Le consultant doit se méfier d'une jeune personne superficielle. Sa compagnie ne peut rien lui apporter de bon.
G Le consultant aura des succès mondains. Il brillera en société.
Renversée
S Il ne faut pas que le consultant perde son temps avec des personnes pessimistes et chagrines.
G Des contrariétés amoureuses vont assombrir les ambiances du consultant.

Attente

Dix de Cœur

Une idylle.

Droite
S Il s'agit d'un excellent avis présageant du succès dans les affaires de cœur et de la joie dans des rencontres sentimentales.
G Beaucoup de bonheur au foyer est annoncé. Des petits voyages associant plaisirs et affaires réjouiront le consultant.
Renversée
S Quelques petites inquiétudes sentimentales sont à craindre. «L'amour disait Marcel Achard, c'est être toujours inquiet de l'autre».
G Des querelles importantes sont présagées. Elles pourront être atténuées par une connaissance des erreurs faites.

Surprise

Neuf de Cœur

Un oiseau envolé.

Droite
S Cette carte est un excellent présage de réussite. Pourquoi? Voilà un des mystères du symbolisme...!
G Cette carte est l'une des meilleures du jeu et elle présage toutes sortes de satisfactions.
Renversée
S Un petit chagrin est annoncé; il ne sera pas inoubliable...
G Le conseil est donné au consultant d'écouter les conseils de ses vrais amis.

Une jeune femme blonde *Huit de Cœur*

Droite

S Le consultant homme fera la conquête d'une femme de préférence blonde.

G Un mariage est prévu car l'amour est au rendez-vous.

Renversée

S La jeune femme désirée par le consultant sera intouchable. Le consultant se sentira triste d'espoir déçu.

G Des résultats professionnels sont annoncés et, pourquoi pas quelques réussites dans tous les jeux de hasard.

Pensée *Sept de Cœur*

Une jeune fille pensive.

Droite

S Le consultant va vivre un moment de paix et de sérénité, quelque chose comme un temps de repos bienfaisant.

G De bonnes réponses seront données aux questions du consultant.

Renversée

S Des petits problèmes sont annoncés.

G Le consultant doit trouver des réponses satisfaisantes aux problèmes qu'il se pose car ses inquiétudes sont fondées.

Amour

Six de Cœur

Eros tirant à l'arc.

Droite

S Le message est à l'optimisme puisque le consultant est assuré de rencontrer comme il l'espère, la personne qu'il aime.

G Le conseil est donné d'éviter des méprises et des illusions. Attention à ne pas retomber dans des situations difficiles qui ont d'ailleurs déjà été vécues dans le passé.

Renversée

S Le message est à la mélancolie puisqu'il semble que le consultant ne pourra rencontrer la personne aimée.

G Message d'espérance. L'avenir se présente sous d'heureux auspices.

Mariage

Cinq de Cœur

Une toilette de mariée.

Droite

S Le message de mariage est évident ; encore faudra-t-il que le consultant sache avec qui !

G Si le consultant est un homme, il est assuré d'un héritage. S'il est une jeune fille, elle peut effectivement préparer son trousseau de mariée, un mariage heureux lui est promis.

Renversée

S Un mariage envisagé ou espéré se fera avec du retard.

G Des fiançailles sont possibles mais il ne s'agira pas forcément de celles du consultant.

Maison de ville *Quatre de Cœur*

Maison de Ville.

Droite
S Le message est très favorable ; il parle de réussite et de prospérité pour les affaires du consultant.
G Le consultant est informé que des ennuis domestiques vont assombrir cette période d'existence.
Renversée
S Les affaires du consultant vont subir des pertes.
G Le message est au silence et au secret ; que le consultant se tienne sur ses gardes car des personnes de son entourage ont des tendances bavardes.

La consultante *Trois de Cœur*

Une dame assise qui attend.

La Consultante

Droite ou **Renversée**
La consultante, mais aussi un message de succès et de fin des problèmes pouvant exister.

Maison de campagne

Deux de Cœur

L'entrée d'un château.

Droite
S Des vacances, des agréments, des passe-temps et toutes sortes de badinages sont promis au consultant.
G Un excellent message de prospérité et de réussite aussi bien en amour que dans les affaires est donné ici.
Renversée
S Le consultant sera préoccupé ; il sera dans l'embarras et le moment sera à l'accablement.
G Le conseil est à l'attente ; des projets s'éloignent, des personnes aimées s'en vont... mais tout reviendra pour le meilleur.

Billet doux

As de Cœur

Une dame lit une lettre

Droite
S Si le consultant est une jeune fille, la carte lui annonce d'heureuses rencontres et pourquoi pas quelques jolis flirts.
G Une réussite commerciale est annoncée. L'idée de lettre peut être aussi des lettres de change...
Renversée
S Une visite est annoncée ; elle apportera des plaisirs et de très bonnes nouvelles.
G Le conseil est à une prise de décision ferme et définitive.

Homme de loi — *Roi de Pique*

Plaidoirie de l'avocat.

Homme de Loi.

Droite

S Le consultant sera aux prises avec un adversaire redoutable. Il s'agira peut-être d'un procès, d'une affaire professionnelle importante.

G Une consultation chez un homme de loi serait fort bénéfique pour résoudre des problèmes en cours.

Renversée

S Le consultant sera très bien défendu par l'homme de loi qu'il a chargé de ses intérêts. Il peut lui faire entière confiance.

G Un personnage autoritaire et peu aimable est à éviter ; cette personne se trouve dans l'entourage « des affaires » du consultant.

Une veuve — *Dame de Pique*

Une femme en deuil.

Une Veuve.

Droite

S Un deuil est possible dans l'entourage immédiat du consultant.

G Une personne âgée n'est guère bonne dans l'entourage du consultant ; qu'il s'en méfie comme de la peste.

Renversée

S Méfiance, trois fois méfiance... ! Une personne âgée et acariâtre ne veut pas que du bien au consultant.

G Si des discordes existent dans le foyer du consultant, les causes en viennent d'une méchante et irrascible femme. Attention donc à sa langue de vipère.

Un jeune homme brun — *Valet de Pique*

Un dandy.

Un Jeune Homme Brun.

Droite
S Quelle est cette personne dans l'entourage du consultant qui pourrait ressembler à ce dandy prétentieux et qui n'est pas digne de sa confiance ? Le message est à l'extrême prudence dans des rapports d'amitié.
G Cette carte amène des discordes ; elle est comme la pomme de la déesse Erys, elle est venimeuse et ne présage que des problèmes pour le consultant.
Renversée
S Le conseil est à l'observation : chaque personnage de l'entourage du consultant peut être un ennemi !
G Il n'y aura pas de bons hasards pour le consultant. Le conseil est donc qu'il n'agisse pas à l'aveuglette ou au petit bonheur... car il risque des problèmes.

Chagrins, larmes — *Dix de Pique*

Un enfant pleure la mort de son chien.

Chagrin, Larmes.

Droite
S L'illustration parle d'elle-même : le message est aux larmes.
G Des deuils, des séparations, des blessures d'amour, des susceptibilités... voilà le lot de cette néfaste carte.
Renversée
S Un petit chagrin vite passé...
G Le consultant peut faire preuve d'opportunisme car de grands profits peuvent être tirés des situations présentes.

Mort — *Neuf de Pique*

La grande faucheuse.

Droite
S Malheureusement sans commentaire : un décès physique ou psychique attend le consultant.
G Même signification.
Renversée
S Des circonstances endeuillantes sont annoncées au consultant ; elles pourront se produire dans son noyau familial ou dans son entourage amical.
G Des trompreries se trament dans l'ambiance de vie du consultant.

Maladie — *Huit de Pique*

Un veillard moribond.

Droite
S Des risques de maladie sont annoncés.
G Des calomnies se promènent dans l'air... Que le consultant observe et qui les dit et pourquoi.
Renversée
S Des projets de mariage, de fiançailles seront annulés. Le consultant se retrouvera célibataire malgré lui !
G Des risques d'accident sont à craindre.

Querelle

Sept de Pique

Rixes entre ambulants.

Querelle.

Droite
S Une série de contrariétés sans grande importance va agacer le consultant. Qu'il s'y prépare mais sans dramatiser les événements.
G Même signification.
Renversée
S Des petites intrigues vont empoisonner quelques moments de la vie du consultant.
G Un conseil d'extrême prudence est donné au consultant; des imprudences seront à éviter. Qu'il relise ses contrats d'assurances...

Inconstance

Six de Pique

Une femme éplorée.

Inconstance.

Droite
S La personne aimée et qui avait semblé infidèle va se rapprocher du consultant.
G Le message est au voyage et à l'aventure. Le consultant peut partir tranquille, tout ira bien pour lui.
Renversée
S La rupture que le consultant pouvait craindre va effectivement se réaliser.
G Le message est médical: que le consultant demande un diagnostic à son médecin pour les petits maux dont il peut souffrir.

Perte d'argent — *Cinq de Pique*

La femme à la lanterne.

Perte d'Argent.

Droite
S Le message est aux finances mal placées, aux opérations de bourse mal calculées. Le consultant perdra tout ce qu'il voudra et même plus.
G Cette carte a mauvaise réputation. Elle invite le consultant à faire preuve de prudence dans tous les actes quotidiens.
Renversée
S Le consultant sera égaré par des intrigues et des embrouillaminis.
G Deux messages sont donnés : que le consultant surveille sa santé et qu'il ne fasse pas d'excentricités sur le plan financier.

Une femme brune — *Quatre de Pique*

Une Brune.

Droite
S Une femme de préférence brune est fort dévouée au consultant. Cette personne de son entourage lui sera d'un puissant réconfort.
G Des risques de solitude sont annoncés au consultant ; qu'il s'y prépare.
Renversée
S Une femme de préférence brune est fort néfaste dans l'entourage du consultant. Qu'il prenne garde aux « bons conseils » qu'elle pourrait prodiguer car ils seront venimeux.
G Le présage est à l'économie ; mais par quel mystère le consultant deviendrait-il économe ?

Pièges

Trois de Pique

La chasse au filet.

Droite
S Cette carte est excellente puisqu'elle présage des victoires sur les ennemis en tout genre du consultant.
G Des mésententes sont annoncées dans la famille du consultant. Il pourra s'agir de problèmes affectifs et de conflits nés de difficultés professionnelles.
Renversée
S Des préjudices notamment financiers sont annoncés. Mais ils pourront être contrecarrés par de la prudence de la part du consultant.
G Il est écrit que de l'imprévoyance et de l'incompétence nuiront au bon développement des affaires du consultant. Le message est à la prudence.

Joueurs

Deux de Pique

Intérieur d'une salle de jeu.

Droite
S Il est conseillé au consultant d'éviter la fréquentation de tout ce qui est cercle de jeux, casino. La carte est annonciatrice de malchance.
G Même signification.
Renversée
S et **G** : même signification.

Retard *As de Pique*

Une scène mythologique.

Droite

S De la mesquinerie de la part de son entourage est présagée au consultant.

G Le message est excellent. Le consultant bénéficiera d'avantages de tous ordres dans ses affaires, dans sa profession. Si le consultant est une jeune fille un mariage est promis et certainement beaucoup d'enfants comme dans les contes de fée...

Renversée

S Une très belle réussite sur le plan sentimental est annoncée au consultant.

G Des négociations seront interrompues, des pourparlers seront arrêtés. Que le consultant prenne patience : tout rentrera dans l'ordre.

Cérémonial du tirage des cartes

Les créateurs de la Sybille des Salons ont simplifié les méthodes de tirage des cartes afin de rester dans l'optique de faciliter l'interprétation. Il est certain que les cartes de ce tarot peuvent être manipulées selon des cérémonials tout à fait personnels. Ce n'est pas une obéissance à une technique imposée qui est essentielle mais la découverte et la mise en place d'une technique personnelle. C'est pour cela que chaque cartomancien élabore très souvent, au fil de ses travaux et de ses consultations, un tirage qui lui sera propre et qui pourra très bien être inutilisable pour un autre praticien. Un des aspects magiques de la cartomancie résidant justement dans l'inabsolu des méthodes proposées et la possibilité, pour chaque devin, d'inventer, d'améliorer sa technique personnelle.

Une des méthodes la plus couramment employée est celle de la **Croix**

- Le consultant * brasse les cartes face cachée en n'hésitant pas, par des mouvements tournants, à mettre les cartes dans tous les sens, la position droite et renversée ayant une importance primordiale lors des interprétations.

- Remises en tas, le consultant coupe les cartes en se servant de la main gauche. Puis il tire 35 cartes. Si la carte *le Consultant* n° 24 (si le consultant est un homme) ou la carte *la Consultante* n° 37 (si le consultant est une femme) n'est pas sortie lors du premier tirage, les cartes sorties doivent être remélangées avec celles n'ayant pas été choisies et le cérémonial de tirage de 35 cartes doit être recommencé autant de fois qu'il est nécessaire.

Cette carte — *le Consultant* n° 24 ou *la Consultante* n° 37 — sert de point de départ pour l'interprétation. En effet, à compter de cette carte, qui se trouve donc positionnée au hasard parmi les 35 cartes étalées, le devin compte toutes les

*Le mot consultant est utilisé pour désigner aussi bien un homme ou une femme.

septièmes cartes ; cette septième lame est retirée, elle sera une des cartes qui rentrera dans la synthèse des messages.

• Le compte de toutes les septièmes cartes doit être fait jusqu'à ce que l'une des septièmes cartes tirées soit celle qui désigne le ou la consultante. Au bout d'un certain nombre de manipulations, l'objectif d'atteindre la carte n° 24 ou n° 37 étant accompli, le devin rassemble en un tas les cartes non sélectionnées que le consultant coupe. puis le cartomancien distribue les cartes les unes après les autres en constituant 4 tas, les 4 tas correspondent au 4 directions d'une croix.

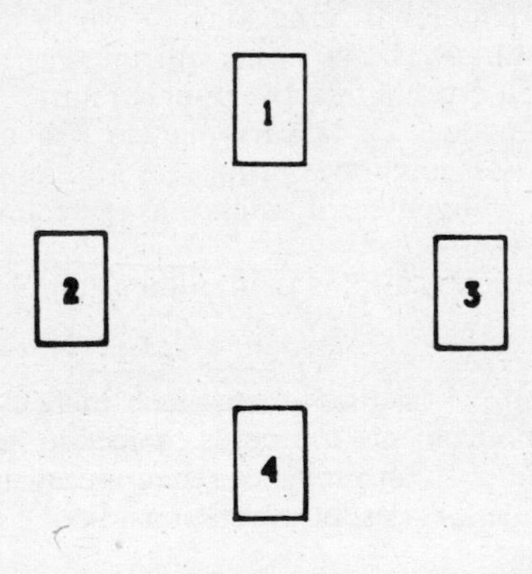

1er tas
Le **consultant** d'une manière générale. Son existence.

3e tas
L'**avenir** du consultant.

2e tas
Le **foyer** du consultant.

4e tas
les **événements imprévus** dans la vie du consultant.

• Le devin prend alors possession des cartes de chaque tas et procède à leur interprétation en fonction du domaine concerné.

Un exemple

Soit un tirage fait par et pour un consultant-homme, qui a donné le positionnement des cartes selon l'illustration ci-dessous :

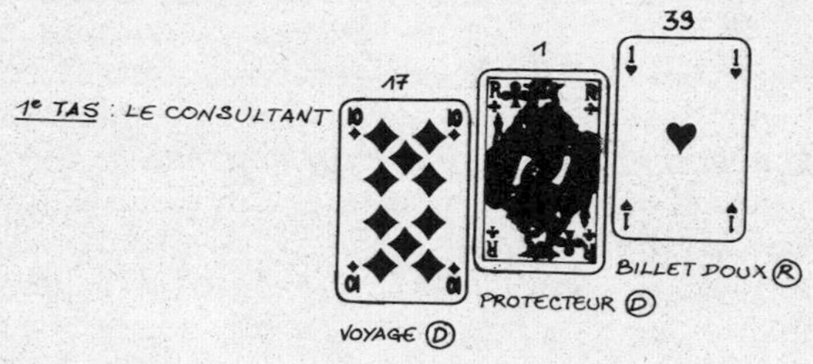

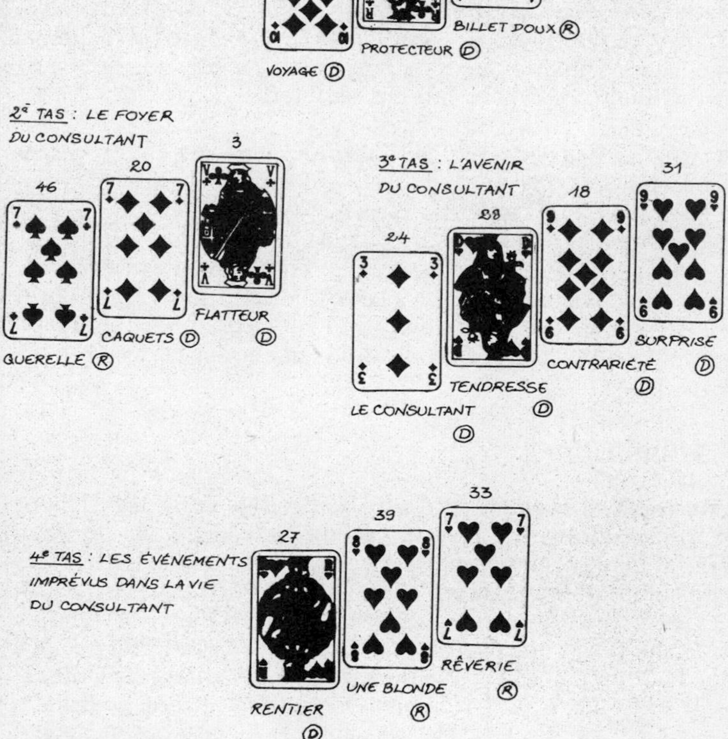

* La lettre D indique que la Carte a été tirée *droite*.
La lettre R indique qu'elle a été tirée *renversée*.

L'interprétation

Avant de se lancer dans les commentaires, il convient de se rappeler que :
1. Les cartes peuvent être droites ou renversées.
2. Les tas peuvent très bien ne pas avoir le même nombre de cartes puisque le nombre de celles-ci est fonction de la découverte et de l'emplacement, dans l'ordre des 35 cartes sorties, de la carte *le* ou *la Consultant(e)*.
3. Les cartes *le* ou *la consultante* (n° 24 ou n° 37) ont un message comme toutes les autres cartes, indépendamment de leur utilité particulière lors du cérémonial.

• **Quelles peuvent être les interprétations des combinaisons de cartes**
Chaque tas fera l'objet de plusieurs observations :
○ par la valeur des messages de chaque carte ;
○ par la synthèse des messages de l'ensemble des cartes ;
○ par les rencontres que les cartes peuvent faire entre elles ;
l'ensemble des observations et des interprétations étant replacé dans le contexte du positionnement des cartes.

Exemple

Ainsi, dans l'exemple proposé, les 3 cartes du *1er tas* : Dix de Carreaux (Voyage), Roi de Trèfle (Protecteur), As de Cœur (Billet Doux), sont à analyser en fonction de « l'existence » du consultant d'une manière générale.

Les 3 cartes du *2e tas* : Sept de Pique (Querelle), Sept de Carreau (Caquets) et Valet de Trèfle (Flatteurs) sont à analyser en fonction « du foyer du consultant » et ainsi de suite...

Il suffit alors au cartomancien, qui peut être le consultant lui-même compte tenu de la facilité de lecture des messages, de prendre connaissance des interprétations et de constituer une phrase divinatoire.

Dans l'exemple proposé, compte tenu des cartes sorties et de leur positionnement, les «formules divinatoires» intéressant le consultant pourraient être phrasées comme suit :

Pour le tas n° 1
Le consultant, son existence d'une manière générale.

«... Vous (le consultant) pouvez envisager des déplacements qui vous rapporteront des satisfactions surtout d'ordre professionnel (1) ; vous pouvez être d'autant plus rassuré à l'issue de ces projets et des voyages, que vous serez très bien aidé et protégé par un personnage influent de votre entourage ; il peut s'agir d'un patron pour un employé, d'un père pour un enfant. (2)... Ces propositions de voyage vous seront confirmées par des écrits et, dès réception de la lettre ou du contact en question, il vous faudra prendre une décision rapide et énergique (3)...

Pour le tas n° 2
Le foyer du Consulant.

«... Vous n'êtes pas sans vivre, actuellement, au sein de votre foyer, des problèmes que vous pourriez éviter si vous faisiez preuve de prudence. A ce sujet le conseil vous est donné de revoir vos polices d'assurance ! Les petites intrigues que vous subissez n'iront pas jusqu'à la guerre mais restez sur vos gardes (1). Il est certain que ces ambiances désagréables agiront sur vos nerfs et c'est alors que vous aurez des comportements qui feront l'objet de critiques et, pourquoi pas, certaines personnes en profiteront pour médire sur votre compte (2). Mais il n'est pas impossible que les conflits que vous vivez dans votre couple ou dans votre maison viennent de la présence de quelque personne qui « vous tient à cœur » ! Il n'est pas exclu, en allant plus loin dans la synthèse des messages, que cette nouvelle personne qui, entre parenthèses est digne de votre confiance, vous permette de réaliser une nouvelle existence telle que vous la souhaitez... ».

Pour le tas n° 3
L'avenir du consultant.

«... Vous apparaissez très bien dans votre avenir, autrement dit vous le maîtrisez et il n'y aura pas de mauvais hasards; les

événements se dérouleront en pleine connaissance de cause (1). Dans votre futur réapparaît cette présence «qui vous veut plus que du bien» et qui jouait déjà un rôle important dans le domaine de votre foyer. Deux solutions cependant peuvent être proposées, avant de déchiffrer les cartes suivantes : ou bien, vous êtes amoureux et soyez parfaitement rassuré puisque cette personne plus qu'aimée et qui vous aime apparaît dans votre vie future, ou bien les conflits présents sous votre toit vont vous faire réintégrer le foyer familial où votre mère sera prête à vous aider (2). Votre avenir n'est pas exempt de problèmes à résoudre mais ils disparaîtront sans dégâts si vous différez certaines de vos décisions dont, justement, celles qui ont pour objet cette personne aimée. Le conseil est à l'attente puisque vous savez qu'elle existe dans votre avenir de cœur; comme vous savez aussi que toute une kyrielle de contrariétés risquent de vous ennuyer il est préférable de vous occuper de ces «points de retardement» (3). De toute manière vous avez pour votre avenir la meilleure assurance de réussite. Alors, pourquoi vous inquiéter? Tout se passera exactement comme vous le souhaitez côté cœur notamment, puisque les autres composantes du jeu laissent supposer une histoire d'amour sous roche (4)...»

Pour le tas 4
Les événements imprévus.

«... Vous ne vous attendiez pas, d'ailleurs, à vivre ces événements dans votre vie affective! Malgré les problèmes, une reconfirmation de réussite vous est donnée. Mais il n'est pas impossible qu'intervienne une personne influente qui vous aidera; pourquoi pas un parent, un juriste, un conseiller (1).

Mais l'imprévu le plus important sera une remise en question dans ce roman d'amour, car la personne pour laquelle tout se joue ne semble pas libre. Par contre, peut-être pour illustrer le problème «bonheur aux jeux malheur en amour» vous avez l'annonce imprévue mais bien réelle de gains financiers (2). Mais en faisant amende honorable, vous savez fort bien que les événements qui se passent, vous les avez recherchés! Tous vos petits problèmes, vous pouvez les résoudre car toutes vos inquiétudes sont fondées sur des causes que vous avez voulues...»

Le Grand Jeu de Mademoiselle Lenormand

Qui était Mademoiselle Lenormand?
Marie-Anne Adelaïde Lenormand, née à Alençon en 1772, fut une célèbre cartomancienne à l'égale de Cassandre, fille de Priam, ou de quelqu'autre prêtresse experte en oracles.

Il est raconté par des échotiers d'alors que Napoléon Bonaparte et nombre des personnages de son entourage croyaient fort en ses présages. On dit même qu'elle fit deux prédictions qui assirent sa réputation : elle annonça l'assassinat de Marat et la décapitation de Robespierre. Vers 1845, Marie-Anne Lenormand conçut le tarot qui porte son nom et qui est le plus complet qui puisse être par sa teneur en matériaux symboliques.

En effet, chaque arcane, à l'exception de deux cartes qui représentent le consultant, déguisé pour la circonstance en seigneur du 17e siècle, et la consultante enrobée de velours et de dentelles à l'image des dames de ce Grand Siècle, contient plusieurs outils divinatoires.

On y trouve une carte classique, un ciel astrologique, des articles et des produits divinatoires dont des fleurs, des animaux, des pierres, et enfin des scènes mythologiques ou tout simplement suggestives de situations archétypiques.

Enfin, les 56 cartes qui composent ce tarot sont divisées en cinq domaines qui cernent le hasard et l'empêchent de s'échapper par un couloir dérobé !

Composition du tarot

Le Grand Lenormand comprend 54 cartes qui sont rangées selon une chronologie où la mythologie grecque, avec ses destins et ses imprévus, domine.

1° La conquête de la Toison d'Or
Six cartes : les Dix de Carreau, Neuf de Carreau, Roi de Trèfle, Quatre de Carreau, As de Trèfle, Neuf de Trèfle*, entrent dans cette conquête. Elles s'occupent de commerce, de voyages, de projets où **la finance** a la priorité.

2° La guerre de Troie
Neuf cartes partent en guerre... : les cinq de Trèfle, Deux de Pique, Valet de Carreau, Dix de Trèfle, Neuf de Pique, Six de Trèfle, Six de Pique, Huit de Pique, Dame de Carreau. Ces cartes illustrent **le droit du fort sur le faible**.

3° La science hermétique
Les sept cartes qui composent cette collection s'occupent du cœur du consultant et le titre de ce chapitre est **le mariage**. On y trouve les Sept de Pique, Trois de Trèfle, Quatre de Trèfle, Huit de Trèfle, Sept de Cœur, Dix de Cœur, Six de Cœur.

4° Les imprévus
Cette catégorie comprend 19 cartes : les Deux de Trèfle, Valet de Trèfle, Sept de Carreau, Huit de Cœur, Trois de Cœur, Six de Carreau, Deux de Cœur, Roi de Carreau, Dame de Pique, Quatre de Pique, Dame de Trèfle, Cinq de Cœur, Dix de Pique, As de Cœur, Trois de Pique, Deux de Carreau, As de Carreau, Roi de Cœur, Roi de Pique.

5° Les signes du Zodiaque
Les 12 cartes suivantes représentent l'**ordre du temps.** Elles

*La carte *Neuf de Trèfle* intéresse deux paragraphes : le commerce et les signes du Zodiaque

désignent à la fois un signe astrologique et également le masculin ou le féminin ; soit le tableau ci-dessous :

— Valet de Cœur	Le Bélier	sexe masculin
— As de Pique	Le Taureau	sexe féminin
— Trois de Carreau	Les Gémeaux	sexe masculin
— Neuf de Trèfle	L'Ecrevisse	sexe féminin
— Neuf de Cœur	Le Lion	sexe masculin
— Dame de Cœur	La Vierge	sexe féminin
— Valet de Pique	La Balance	sexe masculin
— Cinq de Carreau	Le Scorpion	sexe féminin
— Cinq de Pique	Le Sagittaire	sexe masculin
— Sept de Trèfle	Le Capricorne	sexe féminin
— Huit de Carreau	Le Verseau	sexe masculin
— Quatre de Cœur	Les Poissons	sexe féminin

Détail d'une carte

Afin d'identifier le positionnement des différentes figures, sujets, scènes et symboles qui entrent dans la composition d'un arcane, la carte le **Roi de Trèfle** est proposée en illustration éclatée

F **Figure,** en haut et à gauche de la carte : Roi de Trèfle.

S **Grand Sujet**, au centre de la carte : un homme assis, des soldats et deux êtres aîlés.

D **Sujet** en bas à **droite** de la carte : une colombe et des rochers.

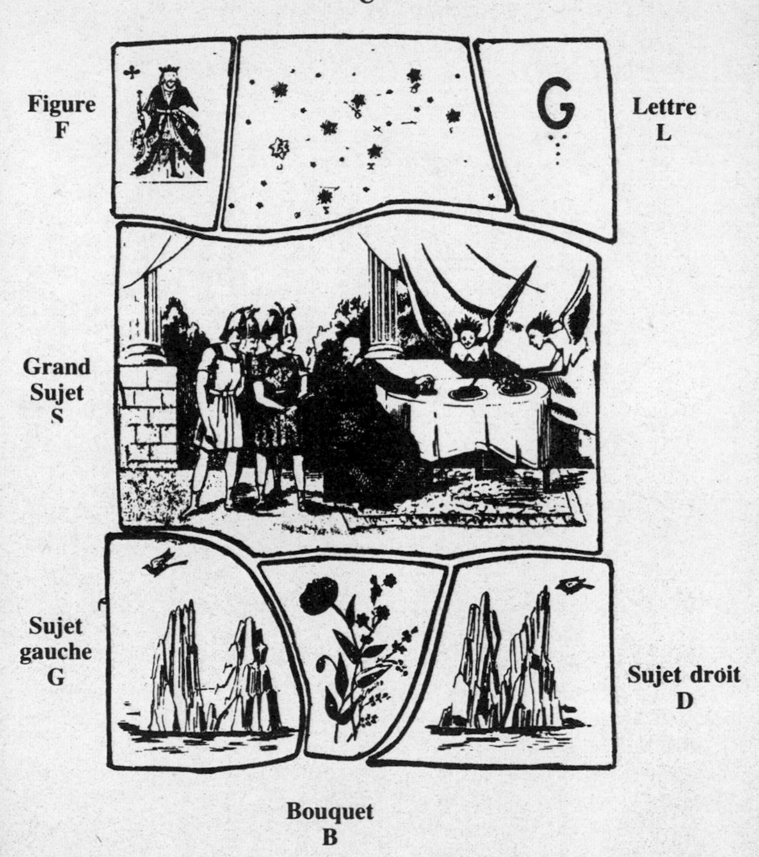

G **Sujet** en bas à **gauche** de la carte : une colombe et des rochers.

B **Bouquet** au centre et en bas de la carte.

Les cinq lettres F, S, D, G, B sont retenues et permettront d'orienter les interprétations des messages de la carte étudiée.

Signification des cartes

Le consultant

La consultante

Ces deux premières cartes ne possèdent pas d'éléments symboliques. Elles servent à positionner le ou la consultant(e) à l'occasion d'un tirage de carte.

F *Roi de Trèfle*

Le consultant peut faire confiance à un homme de savoir et de bon conseil qui lui permettra de franchir des obstacles.

S Phénée, Roi de Thrace, indique aux Argonautes la route à suivre
Le consultant doit demander l'avis de personnes compétentes et dont l'âge est un signe.

D Rochers et colombe
Le message est aux précautions et à l'extrême prudence.

G Rocher et colombe
Attention éventuellement à des risques d'accidents à l'occasion de voyages par air et par mer.

B Le projet du consultant, même s'il est hasardeux, réussira grâce aux bons conseils de personnes sensées, sages et un peu prophètes.

F *Dame de Trèfle*

Le consultant doit prendre garde aux amabilités, aux insouciances et aux prodigalités d'une femme au demeurant adorable.

S Les Hespérides gardent l'arbre aux pommes d'or
Des ambiances de musique et de poésie sont conseillées au consultant.

D Femme à l'éventail
Le consultant pourrait trouver un agréable réconfort et une détente intellectuelle très raffinée auprès d'une personne.

G Panthère devant une glace
Attention à une femme trop généreuse et de ses charmes et de l'argent qu'elle n'a pas.

B Que le consultant ne recherche pas trop la compagnie de femmes indiscrètes, trop faciles et bavardes.

F *Valet de Trèfle*

Ce personnage symbolise un jeune homme galant. Est-ce le consultant ou une personne dans l'entourage de la consultante ? La question est posée et invite à la prudence car des excès de galanterie sont annoncés.

S Hippomène, poursuivi par Atlante, laisse tomber des pommes d'or

Il est conseillé au consultant d'user et même d'abuser d'artifices ; qu'il soit stratège sans pour cela être artificiel.

D Vieillard faisant des promesses à une jeune fille

Le consultant est informé que la femme qu'il désire est intéressante mais surtout intéressée.

G Char de Vénus traîné par des moineaux

Une préoccupation tourmente le consultant. Quelle est-elle ? La suite du jeu dévoilera peut-être cette idée avant qu'elle ne devienne obsédante.

B Le message est à la patience et encore à la patience.

F *Dix de Trèfle*

Le consultant réussira dans ses entreprises surtout si elles sont risquées.

S Ulysse et Diomède dans un camp ennemi
Une dose d'inconscience + une dose de témérité = la victoire sur tous les problèmes. Le consultant est ainsi assuré de triompher s'il veut bien faire preuve de courage.

D Patrocle blessé par Hector
Quelques revers sont annoncés au consultant ; qu'il ne s'en inquiète pas.

G Branche de vigne
Il est conseillé au consultant de persévérer après ses réussites.

B Que le consultant reste lucide.

F *Neuf de Trèfle*

Si le consultant est commerçant, cette carte est excellente puisqu'elle annonce de très bonnes affaires. S'il est marié, la carte est moins bénéfique puisqu'elle présage un veuvage. Enfin, s'il est plus pauvre que riche, elle annonce des rentrées d'argent.

S Junon envoie une écrevisse piquer Hercule pendant que celui-ci tue l'hydre de Lerne
Le consultant doit se méfier d'une personne plus intéressée qu'honnête.

D Juif comptant des écus
Le conseil est d'éviter des emprunts à gros intérêts.

G Chinois vendant des dattes
Le moment est au profit.

B Il est annoncé au consultant un bonheur fragile et pouvant s'évanouir trop facilement.

F *Huit de Trèfle*

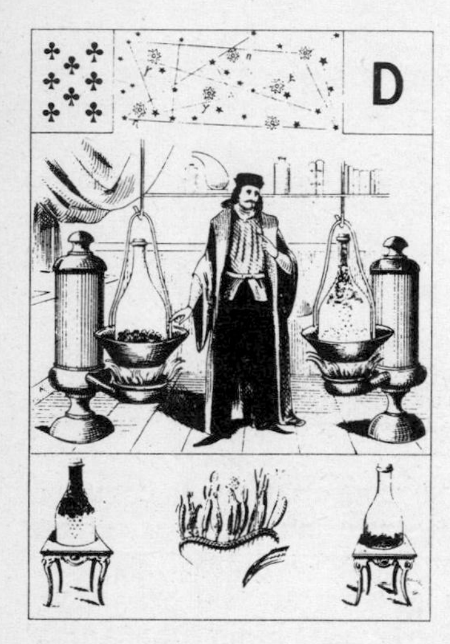

Un mariage, une cohabitation sont annoncés. Avec qui ? Le consultant le saura bientôt.

S Artiste entre deux lampes philosophiques
Le projet de mariage du consultant réussira malgré les obstacles.

D Fixe et volatil éloignés l'un de l'autre
L'union envisagée risque de ne pas se conclure.

G Fixe et volatil bien mélangés
Le ménage sera harmonieux. Le mariage ou ce qui y ressemblera sera une chose possible.

B Le bonheur dans l'amour et le mariage sera possible mais seulement si les partenaires sont raisonnables et fidèles. Ce bouquet final a un petit côté moralisateur...

F *Sept de Trèfle*

Un artiste fort séduisant est annoncé dans l'entourage du consultant. Il apportera création mais aussi «divines surprises»!

S Pan cherche à escalader le ciel
Le consultant doit se méfier d'un personnage jouant à l'artiste, ou qui l'est, et dont les actes ne sont pas sincères.

D Artisan tenant en main un objet mécanique
Si le consultant se lance dans des projets de créations, des inventions, il acquerra une fort belle renommée mais une petite richesse.

G Fourneau d'où sortent des étincelles
Les promesses qui seront faites au consultant ne seront pas tenues; d'où un message de prudence.

B Le message est à la célébrité!

F *Six de Trèfle*

Cette carte prévoit une fausse réconciliation entre deux ennemis. Que le consultant, s'il en a et s'il l'est, se tienne sur ses gardes.

S Pâris et Ménélas vont se battre
Le consultant est prévenu qu'aucune issue positive ne pourra être donnée à ses problèmes, notamment professionnels.

D Enlèvement de Palladium
Le message est à la victoire et à la réussite. Heureux le consultant qui tire cette belle carte !

G Achille joue de la lyre
Quelques chagrins sont annoncés.

B Cette fleur moralisatrice parle d'espoir... « Tant qu'il y a une étincelle, il y a une espérance de brasier ».

F *Cinq de Trèfle*

Le consultant est informé d'une trahison. Il ne s'agira peut-être pas d'un de ses amis mais de quelqu'un de son entourage.

S Pâris fuit avec Hélène, femme de Ménélas
Il y a de la vengeance dans l'ambiance de vie du consultant. Que le consultant surveille qui parle comme Cyrano de Bergerac : « Périsse l'univers, pourvu que je me venge ! ». A moins qu'il ne s'agisse du consultant lui-même.

D Agamemnon et Ménélas
Toujours un message de vengeance !

G Hélène implore les dieux
La personne qui a fait acte de trahison se repentira.

B Le message est à la patience. Le moment n'est pas opportun pour entreprendre.

F *Quatre de Trèfle*

Le message est à une extrême prudence. Le consultant doit se méfier d'une personne, une femme de préférence, vaniteuse et méchante langue.

S Un artiste et une lampe philosophique
Il convient que le consultant résiste aux caprices d'une femme dont les motivations ne sont pas au-dessus de tout soupçon.

D Grisette recevant un homme
Une femme vénale est à éviter.

G Femme écrivant
Le consultant est en contact avec une femme, certes intelligente et courageuse, mais qui ne peut guère l'aider efficacement.

B Que le consultant refasse de nouveaux choix ; le conseil est celui de Corneille : « Devine si tu peux, et choisis, si tu l'oses... ».

F *Trois de Trèfle*

Cette carte annonce d'heureuses nouvelles au milieu des peines que le consultant peut vivre.

S L'artiste étudie les progrès de la lampe philosophique
Le message de consolation et de secours est confirmé. Si le consultant accepte cette période d'existence un peu difficile et peut-être trop laborieuse, il réussira ses projets.

D Martéa, déesse des héritages
Un changement de situation est annoncé. Un héritage assez conséquent est possible.

G Les trois filles du Prêtre Anius
Le consultant est protégé par une providence généreuse.

B Deux maximes que le consultant doit méditer : «Après les peines, la joie», «Après l'effort, le réconfort!»

F *Deux de Trèfle*

Des héritages, des dons et des legs sont annoncés.

S Déesses puisant de l'or dans le Pactole
Le consultant sera aidé, providentiellement, par un personnage influent et apte à financer des projets intéressants.

D Un oiseau essaie d'atteindre le sommet d'un rocher
Il s'agit d'un message magnifique : le consultant est en train de gravir les échelons de sa réussite et de sa renommée.

G Oiseau au sommet d'un rocher
Même message de réussite.

B Confirmation du message de réussite totale. Mais la notion de talent personnel apparaît comme indispensable. Que le consultant se souvienne que son bonheur résidera dans l'exploitation de ses aptitudes et de ses dispositions, surtout celles qui sont talentueuses.

F *As de Trèfle*

La carte ne trahit pas sa réputation de réussite exceptionnelle. Le consultant possède la meilleure carte du jeu.

S Dans la forêt, Jason se bat pour s'emparer de la Toison d'Or
Un seul mot pour signer la carte et ses symboles : réussite.

D Bal, réjouissances
Quelques contraintes risquent de contrarier les plaisirs du moment.

G Jason et Médée sur un vaisseau
Il semble que le consultant puisse attendre des résultats excellents lors d'un retour de voyage.

B Le petit conseil de la carte : « fuyez les jaloux » bien que ce sont eux qui permettent, d'après les proverbes, de mieux se connaître !

F *Roi de Cœur*

Le consultant est assuré de la protection d'un homme sage et riche et le conseil est, bien sûr, de suivre ses conseils.

S Vieillard méditant à côté d'un sablier
Cette carte est synonyme de prudence. Le consultant doit apprendre à faire acte de circonspection et de vigilance dans ses démarches et ses entreprises.

D Bible sur un pupitre
Le consultant est assuré de bénéficier d'un moment de vie paisible et reposant.

G Livre des Lois de Solon
Il est nécessaire que le consultant accepte l'avis de personnes éclairées. Leurs sages conseils seront les bienvenus.

B Toute personne qui vit dans «le droit chemin» est assurée de bonheur inattendu.

F *Dame de Cœur*

Le consultant sera aidé par une personne, de préférence une femme, douce et serviable.

S Jupiter indique à Astrée sa place au soleil
Deux conseils sont donnés au consultant par cette carte afin qu'il réussisse ses projets : « qu'il fuit les mauvaises compagnies et qu'il lutte contre ses faiblesses ».

D Jeune fille à l'orgue
Les inspirations du consultant sont bonnes, qu'il se laisse porter par ses intuitions.

G Religieuse et oiseau du paradis
Si le consultant est un homme, il est assuré d'être aidé par une femme ayant des qualités enviables de générosité et de fidélité.

Il n'est pas impossible, si le consultant est une femme, que cette carte lui demande d'être encore plus « vertueuse » qu'elle n'est.

B La maxime est fort moralisatrice : entre le frivole et le sage, le consultant est libre de choisir... mais qu'il ne vienne pas ensuite se plaindre.

F *Valet de Cœur*

Le consultant va faire la connaissance d'une personne, de préférence un jeune homme serviable ; et celui-ci pourra devenir un ami fidèle.

S Jupiter indique à Bacchus une fontaine où se désaltérer
Le consultant sera sollicité pour donner aide et assistance à une personne dans le besoin. Il n'est pas exclu que cette personne soit le consultant lui-même.

D Corne d'abondance
Le consultant bénéficiera de secours inattendus ; ils viendront de personnes, de préférence jeunes mariés ou nouvellement mariés.

G Flambeau allumé et papillons
Que le consultant fasse attention à des promesses vaines qui pourront lui être faites.

B Le message est à la tristesse puisqu'il est dit que de « l'amour se perdra par infidélité et inconstance ».

F *Dix de Cœur*

Qui est cette jeune fille un peu naïve, un peu enfant et surtout sans volonté ? Que le consultant regarde autour de lui afin de s'en méfier ! Bien sûr, cette jeune fille peut être aussi la consultante.

S L'Artiste considère la matière couronnée de blancheur
Si le consultant est un homme, le message est à la séduction. Il tombera sous le charme d'une femme à la beauté magnétique.

D Jeune fille brodant
Le consultant, s'il est homme, souhaite rencontrer une épouse conforme à ses idées de fidélité.

G Jeune fille au piano
Le consultant, s'il est homme, souhaite rencontrer une épouse ayant un caractère artistique.

B La pensée fleurie est un conseil qui ressemble à une chanson : «Si le consultant veut séduire la fille, il doit d'abord séduire la mère !»

F *Neuf de Cœur*

Le consultant possède des qualités de courage indéniable. Il pourra se faire des amis fidèles.

S Hercule étouffant le lion
Les qualités d'énergie du consultant seront très utiles pour le bien public.

D Napoléon donne la croix à un grenadier
De belles récompenses peuvent être espérées.

G Un maire couronne une rosière
Une jeune fille sage et travailleuse sera d'un précieux secours pour le consultant.

B La maxime est vertueuse : le consultant, s'il est courageux et fidèle en amitié, sera récompensé.

F *Huit de Cœur*

Le message est d'espérance après une période d'inquiétude. Le consultant gagnera sur l'adversité.

S Aigle enlevant un crapaud au-dessus d'un étang
Le message est nostalgique puisqu'il présage qu'un parent ou un ami cher va s'éloigner et même disparaître.

D Femme devant une tombe
Une rivalité s'efface ; le consultant va retrouver une sérénité espérée.

G Flamme au-dessus d'un tombeau
Une dose d'optimisme est donnée au consultant sous forme d'une petite rentrée d'argent.

B La pensée florale confirme le message de l'éloignement d'une personne nuisible pour la santé morale et affective du consultant.

F *Sept de Cœur*

Des rencontres agréables sont annoncées ; mais le conseil est cependant donné de ne pas trop investir en amitié et même en amour sur les personnes qui se présenteront.

S L'Artiste introduit du dissolvant dans la lampe philosophique
Les présages sont excellents en ce qui concerne le domaine relationnel du consultant.

D Postillon apportant un paquet
Des visites et des contacts agréables, une multitude d'heureuses rencontres sont annoncés au consultant.

G Facteur apportant une lettre
Que le consultant se prépare à de possibles mauvaises nouvelles. Elles suivront les bonnes, puis disparaîtront.

B La maxime de la carte demande au consultant de n'accorder aucune importance absolue aux bonnes et aux mauvaises nouvelles.

F *Six de Cœur*

C'est le domaine des finances et des résultats professionnels qui se trouve favorablement concerné. Le consultant peut être rassuré : tout ira bien pour lui.

S L'Artiste voit la pierre changée en or
Une très belle réussite est promise au consultant.

D Homme âgé offrant sa fortune et ses titres à une jeune femme
Le consultant est ou sera protégé par une personne ayant une importante situation.

G Femme âgée et riche
Il est possible que le consultant soit amené à faire ou à recevoir une demande en mariage. L'instant est important pour ses affaires de cœur.

B Le proverbe demande au consultant, avec des fleurs, de ne pas se laisser aller à des bizarreries et des vanités devant les richesses qui pourront lui parvenir.

F *Cinq de Cœur*

Des tractations diverses, également politiques, auront lieu dans l'entourage du consultant. Si le consultant est lui-même politicien, il aura des déplacements à l'étranger à faire.

S Deux gentilhommes devant le Roi
Des réunions diplomatiques, des déplacements politiques sont à prévoir. Le consultant connaîtra des ambiances d'ambassades.

D Oranger en fleurs
Cette carte confirme des tractations politiques. De la diplomatie, de la ruse dans les relations du consultant sont prévisibles.

G Faucon enchaîné
Les ambiances, tout en étant fort avantageuses pour le consultant, ne seront pas exemptes de troubles et d'entraves à sa liberté.

B Il s'agit de fleurs du mal car elles annoncent des trahisons.

F *Quatre de Cœur*

Le message n'est pas agréable. Il suppose des mauvais conseils et des tristes rencontres.

S Vénus et l'Amour passent l'Euphrate sur le dos d'un dauphin
Si le consultant a des enfants, il est à craindre leur émancipation. Un désir de liberté leur fera quitter le toit familial.

D Sentinelle devant un vaisseau
Le message est à la perfidie ; il est demandé au consultant de ne pas écouter les conseils hypocrites.

G Homme donnant en cachette une lettre à une femme
Quelques brouilles sous le toit familial sont annoncées.

B Ce bouquet est fort mélancolique si le consultant est une jeune fille ; il présage des angoisses et aussi des remords à propos de quelque histoire d'amour.

F *Trois de Cœur*

Cette carte apporte du génie... Elle indique soit que le consultant est génial, soit qu'il peut le devenir ; à moins qu'il ne rencontre une personne qui le soit.

S Cynocéphale écrit sur la terre avec un bâton
Le consultant ne doit pas hésiter à se laisser aller à ses inventions et à ses créations ; elles seront porteuses de succès.

D Chevalier devant une branche de laurier en feu
Toutes les entreprises du consultant, pourvu qu'elles possèdent une petite touche de talent, réussiront.

G Jeune homme triste devant un cadran solaire en partie dans l'ombre
Le consultant doit prendre patience si ses inventions sont refusées.

B Il ne faut pas laisser passer les occasions de réussir sa vie.

F *Deux de Cœur*

Un personnage intègre et désintéressé aidera le consultant.

S Compagnie de perdrix arrêtée par un chien
Ce personnage sera d'une amitié efficace pour le consultant.

D Jet d'eau dans la verdure
Le consultant doit éviter la présence de flatteurs.

G Ermite assis devant sa cabane
Il sera opportun que le consultant prenne quelque moment de repos et apprenne à écarter les gêneurs et les opportunistes.

B Le proverbe est fort moral : « Malheur à l'homme de bien qui s'écarte du droit chemin ».

F *As de Cœur*

Le consultant doit s'occuper de ce qui se passe dans sa famille et chez ses proches.

S Danaüs et ses cinquante Filles
Des satisfactions naîtront des relations avec les membres de la famille. De plus, une idée de nombreux enfants, petits enfants… est annoncée.

D Eglise où l'on prie
Le consultant bénéficiera des avantages d'une famille unie. Il y trouvera protection et chaleur.

G Cassolette où brûlent des parfums
Des contacts sont à éviter au sein de la famille du consultant. Tout n'est pas clair…

B Le consultant est informé qu'il doit impérativement éviter de mauvaises fréquentations.

F *Roi de Carreau*

Le consultant aura l'amitié d'une personne honnête et serviable. Ce personnage, de préférence un homme, sera très utile pour la réalisation des projets et des souhaits.

S Cadmus offre un vase à Minerve
Cette personne ne sera pas connue du consultant et n'appartient pas à son entourage familial.

D Une truie mange les fruits qu'une corneille laisse tomber
Le consultant doit être à l'écoute des personnes qui peuvent travailler avec lui, sous ses ordres notamment. Il tirera des résultats de contacts avec des personnes subalternes.

G Scarabée, ailes déployées sur le doigt d'une femme
Le consultant doit prendre garde à ne pas se laisser séduire par des promesses intéressées.

B Le conseil de la carte : « Si le Consultant reçoit un cadeau, il faudra qu'il le rende ».

F *Dame de Carreau*

Le consultant doit craindre une personne, de préférence une femme, méchante, jalouse et qui lui causera beaucoup de torts.

S Dieux et déesses assistant au mariage de Pélée et Thétis
Le consultant doit prendre garde à ne pas se laisser entraîner dans des ambiances curieuses quï feront jaser.

D Pâris présente la pomme à Vénus
Quoiqu'il arrive, le consultant est le préféré de la Providence.

G Un serpent dévore les oiseaux dans leur nid
Des menaces de vengeance sont à redouter; que le consultant surveille ses actions et les conséquences de ses actes.

B Le consultant est en butte à l'envie et à la médisance des personnes qui l'entourent. Qu'il ne montre pas ses joies de vivre!

F *Valet de Carreau*

Des projets de voyage sont annoncés au consultant. Qu'il fasse ses valises et se prépare à quelque départ.

S Ulysse déguisé en marchand, recherche Achille dans la cour de Lycomède
Les entreprises du consultant sont en très bonne voie. Il faut qu'il persévère et ne perde pas confiance.

D Soldats en armes
Le consultant est assuré d'être protégé par des forces supérieures en qualité ; il peut s'agir d'un avocat, d'un homme de finance, d'un personnage politique...

G Junon dans un nuage
Le message est à l'aide et à l'assistance ; une sorte d'assurance tous risques !

B Toute la réussite du consultant résidera dans son art d'utiliser les protections dont il dispose.

F *Dix de Carreau*

Le consultant aura des déplacements à effectuer.

S Dans un palais, Pélias donne des conseils à Jason
A l'occasion de nouveaux travaux, de départs vers des aventures, le consultant doit écouter attentivement les conseils des personnes compétentes de son entourage.

D Argus dessine le navire Argo
Les projets de voyage sont confirmés ; peut-être s'agit-il de déplacements sur eau !

G Jason écoute parler le chêne
Le consultant doit savoir que si une personne de son entourage recule devant les projets de déplacement, c'est qu'il y a danger. Cette personne, de préférence un jeune homme, sera envoyée par le destin pour donner un message de prudence.

B La maxime de la carte est à la prudence : la réussite ne peut se faire qu'après avoir écouté les sages conseils des personnes compétentes.

F *Neuf de Carreau*

Le consultant aura de multiples démarches à accomplir avant de pouvoir partir vers des horizons lointains. Le message est à l'attente et surtout à l'obéissance à toutes les obligations de forme et de fond.

S Les Argonautes s'embarquent pour la Colchide
Le message est confirmé d'un départ vers des pays lointains où le consultant pourra peut-être faire fortune.

D Les Argonautes portent leur vaisseau
Des incidents de parcours sont à craindre ; que le consultant s'attende à des embûches, à des retards.

G Les Argonautes reçoivent des vivres
Les voyages prévus, malgré les problèmes, se dérouleront bien.

B Le consultant supportera les fatigues du voyage. Le message est ainsi à l'espoir.

F *Huit de Carreau*

Le consultant aura de nombreuses démarches à faire en vue d'un nouvel emploi, d'une nouvelle situation.

S Ganymède présente l'ambroisie aux dieux
Les propositions de travail, les nouvelles idées d'activité seront bénéfiques pour le consultant. Son futur est assuré !

D Etudiant
Les nouvelles situations briguées par le consultant lui demanderont des études et des efforts de reconversion. Mais il sera aidé par une providence efficace, soit des personnes compétentes, des amis dévoués.

G Institutrice
Un événement inattendu est annoncé ; il s'agit d'un fait d'adoption, de l'arrivée d'un orphelin…

B Le consultant doit savoir que les nouvelles situations qu'il peut avoir jouent également sur son physique et ses aptitudes.

F *Sept de Carreau*

Des petits problèmes, des vicissitudes sont annoncés au consultant. Cette carte est fort mélancolique !

S La femme d'Epiméthée ouvre la boîte à Pandore
Chaque événement de la vie du consultant doit faire l'objet d'une attention extrême, car des pièges, des erreurs, des négligences se cachent.

D Homme désespéré
Le presage est gris ; le consultant doit surveiller toutes ses affaires, celles en cours, celles qu'il envisage car le contexte économique, financier, même familial n'est pas favorable.

G Mendiant
Si toutes les précautions ne sont pas prises par le consultant pour protéger ses arrières, il risque des déboires. Une note de tristesse et de misère morale accentue les composantes noires de cette vilaine carte.

B Un seul mot pour ces fleurs fanées : danger…

F *Six de Carreau*

Un homme dangereux gravite dans l'entourage du consultant. Il sera de mauvais conseil et sa présence nuira à l'avenir aussi bien professionnel que sentimental du consultant.

S L'Ichneumon s'insinue dans la gueule d'un crocodile
Indépendamment des mauvaises influences de ce personnage dangereux pour le consultant, il n'est pas exclu qu'il soit aussi fort intéressé ; attention donc à la cupidité et à l'opportunisme.

D Chute d'une comète
Attention à une présence néfaste !

G Femme à la guitare, homme au tambour
La carte présage aussi des problèmes sentimentaux, des désunions au sein du foyer du consultant.

B Le proverbe de la carte ne peut qu'être fort moralisateur ! Les personnes que fréquente le consultant doivent être triées sur le volet car certaines sont « pervertisseuses ».

F *Cinq de Carreau*

Le consultant va se trouver en contact avec une ou des personnes entêtées et médisantes. Le message est ainsi à la prudence dans ses comportements et ses propos.

S Phaëton abandonne les rênes du char du soleil levant
Le moment sera à la prise de conscience, par le consultant, que ses entreprises ne pourront se réaliser qu'après un certain temps de réflexion et de circonspection.

D Femmes se querellant
Le présage n'est pas gai ; il suppose une perte d'emploi, des problèmes dans l'activité du consultant.

G Hommes de police
Il n'est pas impossible que des personnes, dans l'entourage du consultant, fassent l'objet d'arrestation ou du moins de répression policière.

B Toujours des difficultés signalées au consultant sur la route de ses réalisations.

F *Quatre de Carreau*

Tout tourne autour de l'amour dans cette annonce. Le consultant pourra bénéficier d'avantages de tout ordre grâce à l'amour que l'on pourra lui porter. Il peut s'agir de sentiments amoureux, amicaux, mais l'éclairage est davantage mis sur des inclinations passionnelles.

S Médée, la magicienne, remet des paquets à Jason

Le consultant arrivera à ses fins et réussira dans ses projets grâce à l'appui de personnages influents. Bien protégé, bien conseillé, le Consultant sera capable d'atteindre des résultats exceptionnels.

D Jason jette une poudre au dragon

Non content de se sentir aidé par des conseilleurs qui seront éventuellement aussi des payeurs, le consultant est assuré qu'il peut également avoir confiance en lui.

B Toutes les forces réunies permettront au consultant de vaincre tous les obstacles.

F *Trois de Carreau*

Le consultant vivra une époque affectivement forte. Il n'est pas impossible que des propositions de mariage lui soient faites à moins qu'il ne les fasse lui-même.

S Castor et Pollux
Les ambiances de vie seront amicales et le consultant pourra compter sur l'affection des siens.

D Homme à cheval
Afin de se libérer l'esprit et le cœur d'un tourment, il est conseillé au consultant de prendre quelque vacance. Un peu de solitude, un dépaysement lui seront profitables.

G Deux palmiers qui ne se touchent pas
Une note pessimiste apparaît dans les ambiances ensoleillées; en effet, une amitié mal placée, des sentiments amoureux non partagés rendront malheureux le consultant.

B Ce bouquet illustre le poème de Verlaine «Mon cœur a tant de peine»!

F *Deux de Carreau* Le consultant doit surveiller qui peut avoir une conduite équivoque dans son entourage. Cette personne n'est pas ni tout à fait fausse, ni tout à fait franche... Un dilemme à découvrir et de la prudence à observer !

S Enfant sur un bouc

Le consultant possède avec cette carte une annonce de fécondité. Il pourra s'agir de création, de réalisation au niveau de l'activité mais aussi d'enfant. Si le consultant est une femme, le présage d'un accouchement est donné.

D Jeune fille devant la fée Miraïs

Si le consultant est une femme, il lui est conseillé de ne pas se lancer dans des aventures faciles mais qui risquent d'être conséquentes. Attention aux erreurs et aux négligences provenant de sentiments trop volages. Même si la bonne foi et la bonne volonté sont au rendez-vous, le consultant aura à payer ses enthousiasmes trop excessifs.

G Jeune fille devant Eugénie, déesse de la grossesse

Si le consultant est une jeune fille, l'aventure qui se conclut par une grossesse non souhaitée fera l'objet de médisance et de tristesse.

B La maxime du bouquet suggère au consultant de ne pas pleurer ses bonheurs perdus puisqu'ils n'étaient que de faux bonheurs !

F *As de Carreau*

Le consultant recevra une lettre ou quelque nouvelle. Une orientation de vie est à prévoir qui sera dévoilée rapidement et curieusement.

S Harpocrate remet une lettre à Mercure
L'annonce est à l'attente d'un message. Le consultant doit demeurer secret avec les confidences ou les communications qui lui seront faites.

D Anubis garde des papiers
Les confidences que le consultant pourra recevoir devront être impérativement gardées.

G Argus lit une lettre
Mais des indiscrétions sont à redouter. Le consultant reçoit la confirmation que les « murs ont des oreilles ».

B Le bouquet à des yeux, des oreilles et une bouche ! Autrement dit, le consultant doit être « bouche cousue ».

F *Roi de Pique*

Le consultant se trouvera en contact avec des personnages ayant un rapport avec la justice : homme de loi, avocat... Ces personnes seront indispensables pour régler des affaires épineuses.

S Ménès entendant une plaidoirie
Si un ou des procès ne sont pas encore déclarés, le consultant doit s'attendre à des interventions judiciaires.

D Mastigophore présentant une lettre de cachet
Les problèmes juridiques à prévoir seront d'ordre commercial. Si le consultant se trouve «en affaires» pour l'achat, la vente de biens meubles et immeubles, il est à craindre des imbroglios que seule Dame Justice pourra résoudre.

G Prisonnier à la grille d'une prison
Le consultant devra sans doute comparaître devant quelque cour de justice ; à moins qu'il ne soit demandeur plutôt que défendeur.

B La Justice avec ses pompes, ses œuvres et ses résultats sera si belle à regarder pour le consultant qu'il aura envie de l'acheter ! Chose à ne pas faire évidemment.

F *Dame de Pique*

Cette Dame représente un message de veuvage ou de séparation. C'est peut-être le consultant, qui, s'il est homme, se retrouvera dans la peine et le deuil; s'il s'agit d'une consultante, il est peut-être question d'une parente ou d'une amie proche.

S Isis en pleurs trouve son mari mort
Le message est davantage axé sur une consultante qui pleurera son mari. Peut-être s'agira-t-il d'un décès ou d'un départ!

D Isis reçoit une visite
Mais la Providence est ainsi faite que, même au milieu des pires tourments, un message de joie et de consolation est donné. Le consultant est assuré d'une conclusion heureuse.

G Homme remplissant une lampe à huile
Il ne s'agit plus de l'annonce de la perte d'un parent mais plutôt d'un ami ou d'une amie. Que le consultant compte et aime ses amis de l'heure présente!

B La maxime du bouquet est religieuse puisqu'elle demande aux personnes qui sont dans la peine de faire des prières et des offrandes aux dieux et aux déesses que chacun a choisi comme protecteur, consolateur, maître-à-tout-faire.

F *Valet de Pique*

Le consultant aura raison de demander des avis à des hommes ou femmes de bon conseil : expert en droit, homme de loi…

S Philosophe à la balance
Le consultant ne doit pas hésiter à demander une consultation juridique et à suivre les conseils donnés. Tout procès engagé sera gagné.

D Homme devant un juge
Mais rien ne sera facile dans le déroulement du procès. Les instances ne seront pas gagnées d'autorité, des appels et autres moyens de procédure seront nécessaires.

G Juge faisant un partage
Des accords pourront intervenir dans le déroulement du procès. Le consultant pourra les accepter.

B Rien ne vaut un bon avocat pour gagner un procès.

F *Dix de Pique*

Des présages de pertes, vols et escroquerie sont annoncés. Rien ne vaudra une bonne assurance mais il faudra surtout «ouvrir l'œil». Que le consultant se le dise!

S **Laverne, déesse des voleurs, accompagnée de loups**
Attention à des cambriolages. Etre bien assuré est bien, mais ne pas être cambriolable est mieux!

D **Femme dérobant un objet**
Des abus de confiance sont signalés. Le consultant doit surveiller ses propos, ses finances, ses proches en affaires.

G **Renard dévorant une poule**
Le consultant doit surveiller les allées et venues des personnages qui se trouvent dans sa maison, dans les lieux où il travaille. Le ver est dans le fruit que mange le consultant!

B Le proverbe est fort sage : «si vous êtes ordonné et prévoyant, vous dépisterez les voleurs».

F *Neuf de Pique*

E Des chagrins et des peines poursuivront le consultant. Affectivement, moralement, les ambiances ne seront pas gaies.

S Isis apporte des nouvelles à Hélène occupée à une broderie
Il y a des conséquences à prévoir si le consultant se conduit d'une manière malhonnête. De plus, chaque agissement du consultant, en dehors d'une certaine ligne de conduite logique, morale et honnête, sera cause de tourment pour un proche, pour une personne aimée.

D Flèches d'Hercule, talisman de Vénus
Il n'est pas impossible que la ou les personne(s) coupable(s) des vilenies ne soient pas poursuivies ! Même dans la justice existe une part d'injustice.

G Achille reçoit de Thétis, sa mère, les armes de Vulcain
Le conseil est précieux : il faut que le consultant stoppe ses agissements, freine ses velleités et raisonne ses sentiments... car il court à sa perte.

B Le proverbe du bouquet est rassurant « le temps finira par réhabiliter le consultant si celui-ci a été condamné par erreur ». Il est rassurant aussi de constater que les proverbes sont aussi consolateurs des méchantes infortunes !

F *Huit de Pique*

Il ne s'agit plus d'une personne ou d'un être cher mais d'un objet, d'un quelque chose qui tient à cœur... Le consultant sera triste de la perte d'un « cher objet-souvenir » comme le dit le recueil des messages.

S Achille traînant le corps d'Hector
Le consultant doit craindre les vengeances d'une personne qu'il a blessée ou contre laquelle il a pu gagner un combat, un procès.

D Les os de Pélops
Mais la Providence veille à ce que les obstacles soient surmontés.

G Andromaque près de la tombe de son époux
Pourquoi un drame s'ourdit-il dans l'entourage du consultant ? Le conseil est à la prudence et à la surveillance de tout ce qui peut être source de problème pour le consultant.

B La maxime est connue : « Qui triomphe aujourd'hui tombera demain ».

F *Sept de Pique*

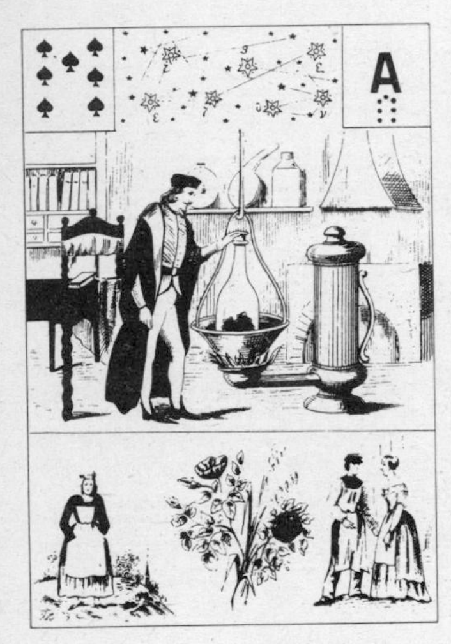

Le consultant est informé que ses espoirs de réalisations sont possibles. Dans le domaine des finances, du cœur, ses espérances seront protégées par une « divine providence ».

S L'artiste introduit la matière brute dans la lampe philosophique
Les projets de mariage qui peuvent trotter dans le cœur et la tête du consultant se réaliseront. De plus, cette carte l'informe qu'il aura des démarches à faire pour concrétiser ses desseins.

D Jeune fille parlant à un ouvrier
L'annonce est sentimentale ; elle parle comme un roman-photo ! L'élu ou élue du cœur du consultant sera fidèle à ses promesses d'amour éternel... si il ou elle en a faites !

G Jeune fille sortant de son village
L'espérance d'un mariage se confirme : l'être aimé deviendra l'époux ou l'épouse tant espéré(e).

B Que le consultant offre donc des fleurs à la personne qu'il aime !

F *Six de Pique*

Le consultant ne pourra se plaindre d'être prévenu qu'une personne de son entourage le trompe. Il y a de l'irréparable dans l'air!

S Cheval de bois entrant dans Scie
Le message n'est pas gai; il est dit au consultant que des conséquences dramatiques pourront naître de ses manques d'attention répétés. Qu'il se protège par tous les moyens possibles : bons conseils, amitié, réflexion...

D Pyrrhus à cheval
Malgré les pires problèmes, le consultant pourra sortir vainqueur; tout est dans l'art de trouver la clé qui lui permette d'allier ce qui est possible et ce que ne l'est pas.

G Briséis au chevet de Patrocle, décédé
Le consultant doit apprendre à se «blinder», soit à ne pas souffrir pour les autres. Des discordes apparaîtront dont le consultant n'a que faire; qu'il s'abstienne donc de participer aux jérémiades qui ne le concernent pas.

B Le bouquet est vénéneux : le consultant doit se tenir sur ses gardes car tout, dans son entourage, peut être sujet à caution.

F *Cinq de Pique*

Le consultant doit avoir une entière confiance en ses possibilités. Il possède, en effet, des énergies et des aptitudes qui lui permettront de vaincre nombre de périls.

S Le centaure Chinon, tué par une flèche, est métamorphosé au ciel en Sagittaire
Cette carte porte un message moralisateur : le consultant ne doit pas se laisser dominer par des envies de paresse ou d'insouciance. Sa réussite est le résultat de son énergie.

D Jeune homme entravé
Le consultant va se trouver en face d'obstacles importants. Seul le courage dont il dispose lui permettra de surmonter ces problèmes.

G Chasseur sans gibier
Que le consultant remette à plus tard ses ambitions !

B Le bouquet de cette carte parle comme un cathéchisme : «seuls les hommes de science, d'Eglise et les écrivains réussiront leur projet». Il est peut-être encore temps pour le consultant de devenir l'un de ceux-là.

F *Quatre de Pique*

Le consultant sera l'objet de jalousie.

Le meilleur remède, pour le consultant, sera de méditer les petites suppositions que cette jalousie invente ; il sera surpris de n'y trouver que de l'insignifiance.

S Junon déguisée en vieille femme
Toujours de la jalousie et de la perfidie.

D Jupiter, comme la foudre, tombe sur Sémélée pendant son sommeil
Le consultant aura des difficultés à gagner sur les propos venimeux dont il fera l'objet.

G Un enfant met le feu à la paille
Comme tout avantage a son revers et toute défaite sa revanche, il est annoncé au consultant qu'il sortira vainqueur des médisances dont il est la cible:

B Le bouquet-maxime invite à la méfiance : la jalousie que le consultant a fait naître n'est peut-être pas sans fondement.

F *Trois de Pique*

Cette carte est entourée de noir car elle annonce des deuils. Que le consultant médite qui «doit» mourir dans son esprit et son cœur.

S Les trois Parques
Quelques petits problèmes de santé sont à craindre.

D Atropos coupe le fil
Comme une ligne de vie inscrite dans une main, le message est à une vie courte, interrompue. Mais la vie n'est pas que l'existence corporelle ; le consultant doit comprendre que ce message s'adresse peut-être à des sentiments qui mourront, des relations d'affaires qui disparaîtront.

G Lachésis file le lin
Pas de problème, le fil de la vie ne semble pas coupé. Autrement dit : bonne et longue vie au consultant.

B Le proverbe-maison : consulter le médecin peut permettre au consultant de vivre vieux !

F *Deux de Pique*

Quelles sont ces confidences dont le consultant est un auditeur involontaire? Le message est à l'écoute et non à la prise de position.

S Les princes grecs viennent consulter Calchas
Malgré les difficultés qu'annonce en général cette carte couleur Pique, le message est à l'optimisme puisque des aides et des conseils seront prodigués au consultant.

D Faisceau d'armes
Le consultant sera un «farceur», comme l'écrit plaisamment le poète Cioran, «puisqu'il survivra à ses problèmes...».

G Les cendres de Laomédon brûlent dans l'urne
Des désirs de vengeance vont passionner les sentiments du consultant. Bien que les colères seront motivées, il sera préférable de les maîtriser.

B Le proverbe de la carte est né dans la bouche de Napoléon : «Un homme, véritablement homme, ne haît point...; sa colère et sa mauvaise humeur ne vont point au-delà de la minute».

F *As de Pique*

Il convient que le consultant n'ait pas d'attitude équivoque dans les situations du moment.

S Jupiter, déguisé en taureau, enlève Europe
Comme le raconte très bien l'histoire d'amour de Jupiter ou Zeus en grec, séduit par la belle Europe, et se métamorphosant en taureau afin de l'emmener dans son palais souterrain, un roman semble se dessiner qui parlera d'enlèvement et de déguisement et aussi d'adultère.

D Homme un verre à la main
Attention aux mauvaises amitiés.

G Femme suspectes
Une sombre d'histoire d'amour et de passion rouge-sang est à prévoir.

B Le bouquet-sentence est fané; ses fleurs sont mortes d'amour, ses feuilles sont tombées d'inanition... Le consultant doit prendre garde à ses sentiments trop tumultueux.

Les cérémonials de tirage

Les cérémonials de tirage de cartes, avec le Grand Lenormand, sauf un tirage à 5 cartes, demandent une certaine expérience.

• Méthode à cinq cartes

Les principes d'un tirage rapide à 5 cartes sont faciles; ils permettent d'obtenir une consultation sommaire mais déjà intéressante dans sa concision.

Ce tirage à 5 cartes fait intervenir ou non la carte *le consultant* (homme et femme) et l'interprétation se fait en fonction des emplacements des cartes (droite, gauche, milieu).

• Méthode des grandes questions

Un tirage dit «des grandes questions» a pour but de répondre aux cinq questions principales qui correspondent aux cinq catégories du jeu :

1. le commerce
2. le droit du fort sur le faible
3. le mariage
4. les imprévus
5. l'ordre du temps

Le cérémonial de ce tirage est plus long et demande une attention et une compétence plus importante; les réponses pouvant être obtenues sont en effet fort pertinentes et touchent l'avenir du consultant avec une précision étonnante.

Le livret explicatif joint au coffret des cartes permet de comprendre le cheminement du cérémonial, avec des exemples d'interprétation.

• Méthode totale des quarante-huit

Cette dernière méthode est la plus complète. Elle utilise le jeu de cartes complet et exige une préparation sérieuse.

Un *tableau des préoccupations* doit être dressé, qui positionne les cartes selon le principe classique de la croix. Ce système permet de visualiser les cartes dans des domaines cardinaux: Nord, Sud, Est et Ouest.

L'étude des cartes se fait «case par case et section par section». La lecture du *tableau des messages* des cartes permet alors une interprétation plus que complète mais qui demande du temps, de la place pour étaler toutes les cartes, et surtout de la patience.

Petite encyclopédie des jeux de cartes divinatoires

Pourquoi des jeux de cartes ?

La divination a commencé dans les temps les plus archaïques. Il s'agissait alors de connaître *la pensée des dieux*, puisqu'il était supposé que ceux-ci détenaient les clés de la vie et de la mort et que par corollaire ils ne pouvaient ignorer tous les événements de l'avenir de l'homme.

Pour le devin d'alors, tous les moyens étaient possibles. On ne peut citer toutes les mantiques de crainte d'en oublier quelques-unes...

Parmi les moyens les plus simples et ne demandant pas d'accessoires volumineux, introuvables et sanglants — n'oublions pas que les Grecs observaient les entrailles des animaux, les ombres des morts, les statues transpirantes... — la priorité est donnée à la **cléromancie** qui consiste à interpréter les positions et les messages de *dés* ou de *pierres de couleur* et à la **cartomancie** qui est « l'art de faire parler les cartes » en interprétant la manière dont elles sortent lors d'un cérémonial : position, emplacement, accompagnement, combinaison...

Comme il est évidemment plus pratique et moins encombrant de « se tirer les cartes » que de pratiquer l'**ooscopie**, soit l'observation de la manière dont les œufs éclatent à la chaleur, la cartomancie est devenue l'outil de travail privilégié de toutes les personnes attirées par les sciences de l'avenir, les para-sciences de futur et les découvertes de ce qui n'existe pas encore mais qui pourrait bien être déterminé quelque part.

La cartomancie propose un matériau plaisant au toucher, excitant la fonction sensation par ses couleurs, son luisant et son esthétique. Le maniement est silencieux donc propice au recueillement, et il est personnel donc susceptible d'établir une communication magnétique ; enfin, il est stimulant puisque la chronologie de la sortie des cartes est imprévisible.

Tous les devins ont le souhait de posséder leur propre tarot, de le fabriquer avec des substances ésotériques et magiques qui n'appartiennent qu'à eux ; c'est pourquoi il existe nombre de jeux de tarot qui tous ont leur beauté et leur usage.

Ce guide vous propose une petite encyclopédie de la cartomancie. Certains tarots sont plus commentés que d'autres, certains ont été négligés, d'autres sont à inventer... une encyclopédie n'est jamais terminée !

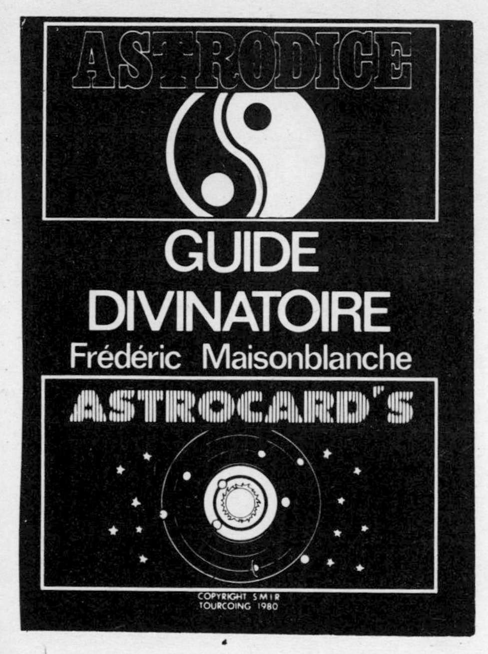

Astrocard's

Ce nouveau jeu de tarot a été pensé et conçu afin d'associer les enseignements et les trouvailles oraculaires des deux arts divinatoires majeurs : la cartomancie et l'astrologie, plus une petite dose de numérologie.

*Astrocard's** se différencie de tous les autres jeux de tarot par quatre originalités.

- Pour la première fois dans les annales de la cartomancie, **un livre** est joint au coffret des cartes. Ce livre donne aux « tireurs de cartes », cartomancien et consultant, une rédaction des messages divinatoires, en lieu et place des quelques mots-clés ou courtes phrases que l'on trouve généralement dans les livrets explicatifs.

*Astrocard's est une exclusivité S.M.I.R. (Tourcoing)

• **Douze cartes** correspondant aux douze Maisons astrologiques ont été conçues et dessinées. C'est ainsi que ce jeu divinatoire Astrocard's propose le premier tarot astrologique.
• Ce jeu d'oracles ne demande aucune connaissance spécifique ni en cartomancie, ni en astrologie, puisque toutes les combinaisons divinatoires sont analysées et rédigées.
• Le cérémonial fait intervenir des composantes de numérologie, ce qui personnalise chaque tirage de cartes tout en replaçant les messages dans un espace-temps précis.

Quelques commentaires sur...

Le guide divinatoire Astrocard's — Le livre

Il s'agit effectivement d'une première dans l'art de la cartomancie car il est donné au cartomancien et au consultant — ce jeu permettant d'être aisément son propre cartomancien — un guide divinatoire complet. Généralement, le livre et le jeu de cartes sont deux ouvrages indépendants.

Ceux traitant de cartomancie ne contiennent pas, en principe, de jeux de cartes ou, quand ils en possèdent, celui-ci n'a ni le grammage, ni la solidité d'un tarot «ordinaire»; de plus, le jeu joint est exclusif d'un type de tarot, celui qui fait l'objet du motif du livre en question.

Quant aux jeux de cartes, ils sont dans leur coffret accompagnés d'un petit livret explicatif qui ne contient que des courtes interprétations.

Or, Astrocard's est à la fois livre et jeu de cartes, jeu de cartes et livre...

Deux exemples

Le monde du **travail**, des études et des obligations se trouvera bien aidé par une providence généreuse. Vous aurez des qualités développées d'**intelligence** et de compréhension des problèmes. Vous aurez des **raisonnements** lucides et une **énergie** nouvelle pour réaliser vos souhaits de progression professionnelle.

Vos mots d'ordre seront «symétrie et système». Vous aurez une ambiance de travail assez ennuyeuse, non pour vous, pour les autres par une amplification de votre sens du «labeur». Vous aurez toutes les aptitudes pour devenir Président Chef, Directeur. Vous pourrez résoudre vos problèmes avec **compétence, discipline** et efficacité.

Vos **forces vitales,** instinctives seront puissantes mais bien conduites. Vous résoudrez vos inquiétudes et vos problèmes passionnels par un apport de **sagesse lucide.**

Vous serez assuré d'une **réussite brillante** telle que vous ne l'espérez pas grâce au mariage harmonieux de la force et de l'intelligence.

Des **décisions** pourront être prises pour l'**amélioration** de vos **finances**; tout ce qui touchera la «**terre**», propriété, maison, culture, sera favorisé. Peut-être sera-ce le moment pour vous de devenir riche ! Ce sera en amalgamant vos expériences financières que vous atteindrez une **perfection** sur le plan de votre budget, tout sera possible, faisable et stable.

Vous pourrez espérer des **fortunes** de tous ordres : augmentations de salaires, revenus de dernière heure, accroissement de capital. Vous vous déplacerez , serez mobile et vous réaliserez des «affaires» à l'occasion de contacts et d'échanges. Vous pourrez réaliser le **mariage** de votre vie, fait bien sûr de sentiments amoureux mais aussi de concorde, de paix du cœur et de l'esprit, sans oublier des **arrangements** financiers qui rempliront d'aise et l'un et l'autre. Il faudra que vous acceptiez toutes les idées de migration, de nouveaux horizons, de collaborations nouvelles, le tout sur fond de conciliations et sans heurts.

Les douze cartes astrologiques

Les douze Maisons astrologiques qui sont en liaison avec les 12 signes du Zodiaque sont utilisées en cartomancie pour focaliser les messages des cartes dans des domaines précis et particuliers. Ce procédé de superposition des messages — ceux des cartes et ceux des maisons — permet d'aiguiller les interprétations dans des orientations qui, pour en être «des lieux communs»: la naissance, l'amour, le travail, la santé, les maladies... n'en demeurent pas moins des archétypes irremplaçables.

Or, les douze Maisons astrologiques n'ont jamais fait l'objet d'illustration en cartes. Un peintre* doué, imaginatif et scrupuleux des moindres symboles comme le sont les êtres capricorniens a réalisé les douze cartes du tarot astrologique d'Astrocard's, en observant le style, les couleurs et les naïvetés des images du Tarot de Marseille, considéré comme le modèle entre tous. Une continuité de graphisme et de teinte a été recherchée et obtenue, ce qui fait entrer les deux collections de cartes — celles du Tarot de Marseille et celles du Tarot astrologique — dans une même symbolique, ce qui accentue les possibilités divinatoires.

La facilité de manipulation et de lecture

Le guide divinatoire — le livre — permet à un cartomancien et à un consultant d'obtenir **des messages rédigés**. Les matériaux fournis par la cartomancie et l'astrologie ont été digérés, assimilés, synthétisés et reproduits en phrases exploitables à l'instant.

C'est ainsi qu'aucune connaissance en arts divinatoires n'est demandée au praticien. Peut-être lui faut-il simplement un peu d'intuition afin de comprendre ce qui n'est pas écrit et de lire entre les lignes ; mais quel est le cartomancien qui n'en a pas le savoir-faire ?

* Ce peintre s'appelle Jean Louis Bastouil et habite Aix-en-Provence.

Illustrations de la premlière et de la dernière Maison...

La **Maison 1** correspondant au signe du **Bélier**

La **Maison 12** correspondant au signe des **Poissons**

La numérologie

La méthode de tirage des cartes du jeu divinatoire Astrocard's utilise les idées essentielles de la numérologie, soit le nombre de lettres du *prénom* * du consultant, le chiffre donné par sa date de naissance et celui du jour de la consultation. Ce système permet de personnaliser chaque «tireur de cartes» et chaque «tirage de cartes»; de plus il associe le *hasard pur* — le choix des cartes lors du cérémonial — au *hasard personnel*, que l'on peut aussi appeler déterminisme — celui de la naissance du consultant et de l'influence psychologique de son prénom; et ces deux hasards sont positionnés, à l'occasion d'un tirage de cartes, à un moment précis de l'existence du consultant — la date de la consultation.

* Il est conseillé de lire l'ouvrage de Claude Mercier préfacé par Pierre Daco dans la collection Marabout Service, Les Prénoms, MS 369.

Oracle Belline

Cet Oracle, de son vrai nom **Tarot Edmond**, celui de son inventeur, vers 1845, est d'un maniement facile. Chaque carte porte un mot-clé qui sert de fil conducteur aux intuitions pouvant naître chez le cartomancien. De plus, chaque carte propose un dessin sans sophistication et plutôt naïf qui peut servir utilement de support à l'imagination.

Composition du tarot Belline - Edmond

Ce jeu dessiné par Edmond lui-même se compose de 52 tarots et d'une carte non illustrée.

Le numérotage et la signification des cartes sont habiles ; leur conception prouve le savoir-faire d'un adroit interprète des dieux de la cartomancie associé au savoir-expliquer d'un maître-ès-symbole. Les cartes se suivent dans une chronologie symbolique, poétique et suggestive des archétypes essentiels qui composent l'existence de tout être humain.

• **Cartes n° 1 à 3**: leur message intéresse l'ensemble de la personnalité du consultant; elles donnent le ton du jeu.

n° 1: la Clef, la destinée.
n° 2: l'Etoile de l'homme. Le consultant.
n° 3: l'Etoile de la femme. La consultante.

• **Cartes n° 4 à 10**: leur message intéresse la force vitale du consultant, ses possibilités créatrices.

n° 4: l'Horoscope.
n° 5: la Médaille.
n° 6: la Pyramide.
n° 7: l'Honneur.
n° 8: le Chien.
n° 9: le Jardin.
n°10: les Présents.

• **Cartes n° 11 à 17:** leur message intéresse l'émotivité et le psychisme du consultant. Elles parlent des mystères, de la nuit. Elles ont une «teneur» en Eau, élément symbolique.

n°11: le Diable.
n°12: les Oiseaux.
n°13: le Vent.
n°14: la Longue-vue.
n°15: l'Eau.
n°16: le Château.
n°17: l'Aigle ou le Crapaud.

• **Cartes n°18 à 24:** leur message intéresse la vie sociale, les relations et les communications du consultant. Elles expliquent sa fonction «intelligence». Elles ont une «teneur» en Air, élément symbolique.

n°18: les Astres.
n°19: la Corne d'Abondance.

n°20 : le Livre.
n°21 : la Chauve-souris.
n°22 : le Plan.
n°23 : le Caducée.
n°24 : la Comète.

• **Cartes n°25 à 31 :** leur message intéresse les composantes affectives du consultant, ses joies de vivre, le côté esthétique de son existence.

n°25 : la Lyre.
n°26 : la Hache aux faisceaux.
n°27 : l'Autel.
n°28 : le Pélican.
n°29 : les Deux Cœurs.
n°30 : l'Amphore.
n°31 : les Cœurs blessés.

• **Cartes n°32 à 38 :** leur message s'occupe des énergies, des impulsions et de la violence. Elles ont une « teneur » en Feu, élément symbolique.

n°32 : la Lanterne.
n°33 : les Deux Epées.
n°34 : l'Enchaîné.
n°35 : le Glaive et le Serpent.
n°36 : les Oiseaux des îles.
n°37 : la Torche.
n°38 : la Tour foudroyée.

• **Cartes n°39 à 46 :** leur message intéresse la situation sociale du consultant. Ses succès, les protections qu'il peut avoir.

n°39 : l'Aigle couronné.
n°40 : la Fleur royale.
n°41 : le Grimoire.
n°42 : la Chouette.
n°43 : la Trompette.
n°44 : la Roue de Fortune.
n°45 : l'Etoile des Mages.

• **Cartes n°46 à 52:** leur message intéresse les efforts, la discipline, les persévérances. Elles expliquent la fatalité, le temps et ont une «teneur» en Terre, élément symbolique.

n°46: la Mendiante.
n°47: l'Ile déserte.
n°48: le Temps.
n°49: la Colombe.
n°50: les Ruines.
n°51: la Roue dans l'ornière.
n°52: le Cloître.

• Carte non numérotée de couleur bleue.

Le cérémonial

Plusieurs méthodes peuvent être utilisées, dont celle de *la croix* qui apparaît dans nombre de cérémonials.

Deux autres méthodes arithmétiques sont conseillées : la première à base du nombre de lettres du prénom du consultant, et la deuxième basée sur le nombre d'heures de l'horloge astrologique ; ces deux cérémonials permettent des tirages sans complication puisque le cartomancien trouve sur les cartes elles-mêmes les figures qui servent de support à ses intuitions.

Certaines sont des allégories — la Pyramide, le Jardin, le Vent — d'autres racontent en quelques traits un sentiment, une situation : les Deux Epées, les Cœurs blessés, le Cloître... Il est particulièrement facile pour un devin de « tirer les cartes » ou pour un consultant de « se tirer les cartes » puisque les messages s'enchaînent au fil du positionnement des cartes.

- **Voici quelques exemples de cartes de l'Oracle Belline**

Carte n° 31

Les Cœurs blessés : passions

Le merveilleux des figures et des dessins, lorsqu'ils sont bien choisis, est de parler aux yeux et à l'esprit sans l'aide de mots.

Ainsi les « deux cœurs percés de flèches et brûlant d'une flamme rouge-orange » parlent-ils de passion, d'enthousiasme affectif et de feu de paille... qui doivent, selon la logique de la cartomancie, consumer le consultant. Le message est souverainement clair : il y a de la passion dans l'existence du consultant et ces engouements tout feu, tout flamme peuvent être dangereux jusqu'à la « dépravation et le deshonneur ».

Carte n° 5

La Médaille : réussite

A l'origine, une médaille est une pièce de métal qui représente le visage de quelqu'un de célèbre ou ayant réussi quelque exploit extraordinaire. De tout temps c'est la flatterie qui a frappé les médailles! C'est ainsi qu'une médaille est devenue le symbole des victoires, des entreprises gagnées.

Lorsqu'un consultant tire la Médaille, c'est en fait sa propre effigie qu'il aimerait voir, lui prouvant qu'il «est victorieux et qu'il a réussi dans ses travaux»; c'est ce que le message affirme. Avec cette note supplémentaire d'optimisme et d'espérance : «si vous n'avez pas encore réussi ce que vous souhaitez, cela ne saurait tarder».

Carte n° 22

Le Plan : entreprise

Les outils dessinés sur la carte se passent de commentaire quant à l'esprit d'entreprise qu'ils suggèrent, quant aux compétences de qui les utilise. Le compas, en langage imagé et devenu conventionnel est considéré comme l'emblême des sciences exactes, donc celles qui permettent de bien gérer ses exploitations, son usine, son budget...

Le marteau se rapporte aux forces de frappe, au travail de choc et l'équerre depuis que la terre existe, puisqu'elle sert à la mesurer, symbolise la rectitude et le respect des lois. Le parchemin avec le plan d'une maison confirme l'idée générale du message : les plans sont faits, les traits sont posés... le consultant se trouve en face d'affaires immobilières à résoudre, de négociations à conclure et de projets à terminer. Le message est également aux combinaisons « sans ouverture » et aux labyrinthes dignes d'un architecte à la Dédale.

Carte n° 46

La Mendiante : infortune

La vision d'une mendiante « vieille et bancale, tendant la main et les pieds nus, le nez crochu et sans dents... » évoque immédiatement des états de manque, des infortunes et toute la kyrielle des afflictions physiques et morales.

Le message, même s'il ne plaît guère au consultant, est brutal : « ... Vous devez faire attention à ne pas devenir comme cette vieille mendiante de la carte ; réfléchissez à vos comportements qui peuvent devenir des motifs à vieillissement précoce — financier, social, affectif et psychique.

Dans l'absolu du jeu de la divination, cette carte peut présager également des infirmités, soit des accidents, des maladies et surtout de la malchance ; cette fameuse malchance qui sont les circonstances atténuantes des gens malheureux et qui ne font pas suffisamment d'effort pour l'être moins.

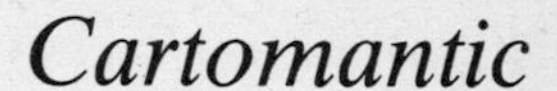

Un mini-ordinateur…

De mantique… à mantic, il n'y a que le désir de moderniser la magie qui se fait magic tandis que les théories cabalistiques se font cabalistic ! Ce jeu divinatoire, Cartomantic, programmé par Henri de Surrey selon les indications données par le fabricant, se veut surtout d'un usage pratique. Et il est vrai que le système de jeu est simplifié à l'extrême.

Comme son nom le suggère, le Cartomantic est un mini-ordinateur programmé pour le traitement de l'information du tirage des cartes. Chacune d'elles est exploitable par la lecture directe sans apprentissage. A quand le Cartolaser !

Composition du jeu

Ce jeu comprend 32 cartes et celles-ci ne possèdent qu'un sens qu'il faudra rétablir, le cas échéant, si l'une d'entre elles se présente à l'envers. Chaque carte est composée de trois parties : supérieure, centrale et inférieure.

- **Partie supérieure**

A gauche, une carte à jouer traditionnelle mais de petit format. A droite, un ou plusieurs mots donnant une signification générale à la carte.

- **Partie centrale**

Cette partie de la carte est divisée en quatre cases à gauche et quatre à droite, lesquelles représentent les quatre couleurs du jeu (trèfle, carreau, pique, cœur) accompagnées d'une interprétation qui tiendra compte des cartes avoisinantes.

- **Partie inférieure**

Au bas de la carte sont inscrites des significations exceptionnelles valables ou non selon que les conditions qu'elles comportent se voient réalisées.

Cérémonial

1. Battre le jeu de 32 cartes.
2. Faire couper de la main gauche par le consultant.
3. Reprendre le jeu dans la main gauche.
4. De la main droite, lever les cartes trois par trois, les retourner (d'abord les trois premières) : si 2 cartes sont de la même famille, poser celle de gauche sur la table.
5. Commencer ainsi le tableau (suite des cartes sorties, disposées en arc, sur un ou deux rangs, sur la table, en commençant par la gauche).
6. Placer les deux autres cartes à part, pour former le talon.
7. Si les trois cartes retournées sont de la même famille, les ranger toutes les trois au tableau, dans leur ordre, c'est-à-dire celle de gauche à gauche, etc...
8. Si les trois cartes retournées sont toutes de familles différentes, les rejeter toutes les trois au talon.
9. Continuer ainsi en prenant les cartes trois par trois, jusqu'à épuisement du jeu.
10. Reprendre les cartes rejetées au talon, les battre, les faire couper, et les tirer de nouveau trois par trois.
11. Recommencer encore une fois avec le nouveau talon, c'est-à-dire trois fois en tout.
12. On obtient alors le tableau qui doit contenir un nombre impair de cartes.
13. Si ce nombre était pair, faire tirer une carte au hasard, dans le talon, et l'ajouter au tableau. On doit auparavant s'assurer que la carte représentant le consultant est sortie ; sinon, la sortir d'office du talon et l'ajouter au tableau pour former le nombre impair.
14. Il s'ensuit que, lorsque le tableau comporte un nombre impair de cartes et que la carte représentant le consultant n'est pas sortie, il faut recommencer toute l'opération.

Consultation

Le tableau étant dressé :

1. Partir de la carte représentant le consultant.

2. De gauche à droite, compter 5 cartes, en comptant la carte du consultant.

3. Déterminer la signification de la 5e carte.

4. Partant de cette 5e carte, compter à nouveau 5 cartes et déterminer la signification de la dernière.

5. Continuer ainsi jusqu'à ce que l'on retombe sur la carte du consultant.

6. Enchaîner alors toutes les observations. Afin de préciser certains points, le consultant pourra tirer une carte au hasard dans le talon, battu et coupé.

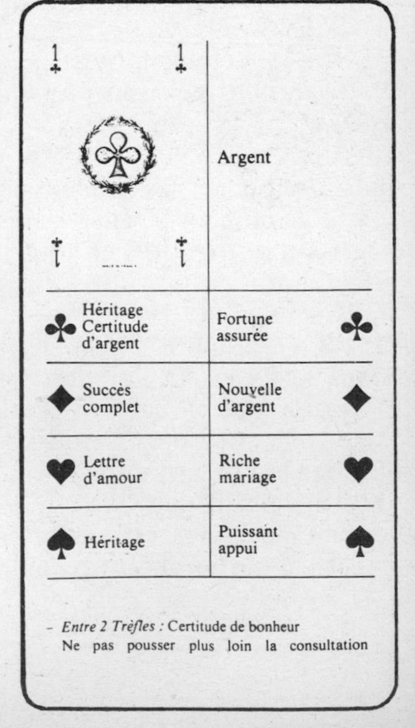

Interprétation

L'interprétation des cartes se fait par la lecture immédiate de celles-ci.

• Quatre exemples de cartes du tarot Cartomatic

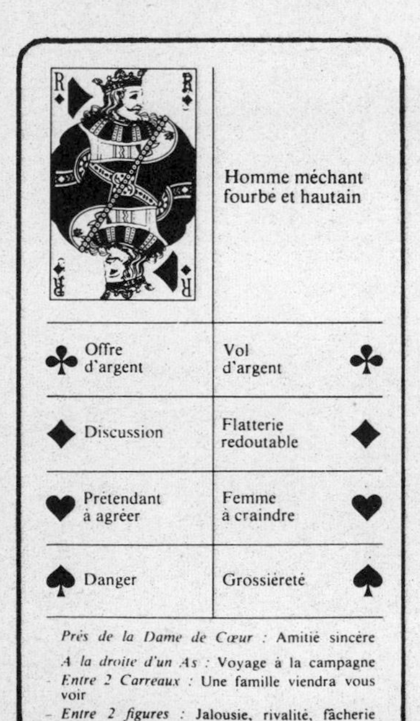

	Homme méchant fourbe et hautain
♣ Offre d'argent	Vol d'argent ♣
♦ Discussion	Flatterie redoutable ♦
♥ Prétendant à agréer	Femme à craindre ♥
♠ Danger	Grossièreté ♠

Près de la Dame de Cœur : Amitié sincère

A la droite d'un As : Voyage à la campagne

– *Entre 2 Carreaux :* Une famille viendra vous voir

– *Entre 2 figures :* Jalousie, rivalité, fâcherie

	Femme mauvaise, ennemie
♣ Vol	Piège à éviter ♣
♦ Médisance sans portée	Faiblesses ♦
♥ Amitié d'une femme	Mariage dans la joie ♥
♠ Médisances	Inimitié ♠

– *Entre 2 As :*
Visite d'une ennemie

– *Entre 2 Piques autres que des figures :*
Décès d'un ami

Le livre du Destin

Un jeu de cartes efficace

Ce petit tarot combine avec une efficacité surprenante les enseignements légués par les Maîtres-ès-Tarot des siècles passés. L'association des cartes traditionnelles et des figures du 19ᵉ siècle — on retrouve les idées et les dessins du tarot de la Sybille des Salons — facilite grandement le tirage des cartes et leur interprétation.

Rien n'est original mais tout est limpide et les messages obtenus, tout en étant simples, sont du «complexe resserré et synthétisé» selon une formule d'Alfred Jarry à propos de la sainte simplicité des idées.

Dans ce jeu, l'essentiel semble être la foi qui anime et le cartomancien et le consultant, et les dons intuitifs du premier.

Composition du jeu

Le Livre du Destin comprend 32 cartes, plus une carte blanche qui symbolise le consultant ou la consultante. Les 32 cartes portent chacune deux images : en haut et à gauche celle d'une carte classique, au centre celle d'une scène du siècle dernier.

Chaque carte représente un événement ou un personnage ; de plus, un mot, une phrase, signe la valeur symbolique de la carte.

Quelques commentaires sur les cartes du Livre du Destin

Les images des cartes du *Livre du Destin* possèdent le charme des gravures d'antan ; il se dégage des dessins une impression surannée de moralité un peu vieux jeu et de « bien comme il faut » style 1900. L'art des maîtres-cartiers qui ont dessiné ce tarot est d'avoir imaginé quelque chose de simple, ce qui n'est pas toujours facile.

Ainsi, pour le plaisir de regarder de belles images, détaillons la carte n° 27 *La Mélancolie* et la carte n° 32 *Billet doux*.

Carte n° 27 — *Mélancolie*

En haut à gauche, la carte classique du Huit de Pique. Puis au centre un paysage tout droit issu de l'album de souvenir d'un Lamartine ou d'un Musset : un lac aux rivages immobiles, des rochers muets, un saule dont le « feuillage éploré, la pâleur et l'ombre légère » évoque irrésistiblement quelque mal du siècle insurmontable, quelque mélancolie irrémédiable...

La carte parle par son contenu et le simple mot *mélancolie* ne fait que signer l'impression ressentie. Le consultant n'aura même pas besoin de recourir au recueil explicatif pour donner à cette carte, lorsqu'elle sortira lors d'une consultation, des interprétations de chagrin, tristesse, perte au jeu, mauvais conseils, danger...

Carte n° 32 *Billet doux*

En haut à gauche, la carte classique du Sept de Trèfle. Puis au centre de la carte une scène attendrissante qui touche les fibres sentimentales : un chien, de tout temps symbole de la fidélité inconditionnelle, de l'amitié à toute épreuve, posant dans sa gueule une lettre scellée — symbole de message donné et reçu, de faire-part d'un sentiment espéré —; deux oiseaux volent — d'où une idée de transmission et de mobilité — portant dans leur bec des missives, ce qui confirme le premier message du chien courant et apportant une nouvelle que l'on souhaite bonne.

Les interprétations de cette carte sont faciles à imaginer : lettres d'amour, visite ou nouvelle agréable; comme cette scène est associée avec une carte *trèfle* qui a toujours une supposition de finance, le message se complète par des orientations or et argent.

Les méthodes de divination

• Le Livre du Destin a une particularité quant à ses méthodes. Il propose la lecture de l'avenir au moyen de **réussites**. Bien entendu, cette appellation n'a rien de commun avec les manipulations de cartes qui «passent le temps». D'ailleurs le mot «réussite» cache des procédés, anciens comme les cartes elle-mêmes, pour prophétiser; il suffit de donner aux élémentaires opérations de maniement des cartes un second souffle divinatoire.

Les deux méthodes issues du principe des réussites ne posent pas de problème de stratégie et de connaissances élaborées. La première consiste à faire des *concordances* et la deuxième à trouver des *harmoniques*. De plus, des combinaisons et des associations des valeurs des cartes complètent utilement les messages obtenus.

• Quant aux méthodes de **tirage**, le recueil contenu dans le coffret de jeu propose deux procédés faciles; ces sytèmes ont été remaniés et enrichis de diagrammes qui visualisent les résultats et permettent aux profanes et aux débutants d'obtenir des messages aisés à déchiffrer, soit :

○ la méthode *de sept en sept*

○ le *demi-cercle*.

Le Petit Cartomancien

Un petit tarot

Le Petit Cartomancien est petit par sa taille — les cartes mesurent 5,5 cm sur 9 cm, alors que les cartes du Tarot de Marseille sont nettement plus grandes — mais nullement mesquin en message et insignifiant en résultat. Il ne copie pas les cartes du Tarot de Marseille mais reprend à la fois les cartes classiques du jeu de piquet et certaines des idées-images de la Sibylle des Salons.

Ce petit tarot est fort agréable à caresser des doigts et à manipuler et les cartes sont aimables à glisser.

Le cérémonial est facile et la lecture des messages se fait sur la carte elle-même.

- **Quelques exemples de cartes du Petit Cartomancien**

Carte n° 14 — *Le Facteur*

En haut à gauche de la carte, l'*As de Carreau* du jeu de piquet classique permet au devin de compléter les interprétations écrites.
Dans le cérémonial intervient le principe du *droit* et du *renversé* qui nuance les messages de positif et de négatif.
L'image est naïve ; les personnages, les objets, les costumes et les attitudes n'ont pas besoin de phrases explicatives.

Carte n° 15 — *Rendez-vous*

Le couple d'amoureux, style 1900, qui se promène sur la carte, sous les auspices d'un *As de Pique* parle d'amour…
L'image est jolie et attendrissante. Le consultant qui se tire les cartes ou le devin qui les explique trouvera facilement le message de cette arcane ; le petit tableau est, de plus, expliqué par quelques mots : rendez-vous, déclaration et divertissement… abandon et dispute si elle est renversée.

Carte n° 16 *L'Argent*

Que de louis d'or! Lorsque le consultant se trouve face à face avec cette carte, il peut être rassuré, bien sûr lorsqu'elle est droite...
Cet *As de Trèfle* est bénéfique, il donne un message de joie, d'argent, de prospérité et de bonnes nouvelles.

Carte n° 18 *Voyage*

Accompagné d'un *Dix de Carreau* cette carte est un petit croquis sorti d'un manuel de transports des temps de la diligence. Un portefaix jeune et solide suit à quelque distance un voyageur à la moustache conquérante et à la bedaine joyeuse : il fume une longue pipe courbe pour affirmer qu'il se laisse vivre.
Les messages de la carte sont bien sûr aux voyages, aux déplacements et aux changements de position. Si la carte est renversée, le présage est moins optimiste.

Le Tarot Maddonni

Un petit chef-d'œuvre
Les artistes, les fous, ceux qui savent peindre et ceux qui voient ce que les autres ne voient pas, eux seuls entrent dans les univers magiques.

Or, le dessinateur du tarot Maddonni, parce qu'il est arrivé à écrire avec ses pinceaux de couleurs ce qui n'est qu'entre-aperçu par tout un chacun, parce qu'il a créé une œuvre d'art où l'insolite se mêle au surréalisme, a atteint les portes de cet espace magique. De plus, les dessins festonnés, en arabesques, tout en *Yin*, l'emportent sur les angulosités, les arêtes et les traits agressifs de *Yang*. Et cela est tout à l'avantage de ce tarot nouveau qui ne sera donc pas tenté de faire de mauvais esprit, puisqu'il est écrit que là où règne le cœur, une intelligente beauté est maîtresse.

Composition du jeu

Le tarot Maddonni est un jeu comportant 78 cartes ou lames et qui se décompose en trois parties principales :

1re partie

Les **arcanes majeurs** sont au nombre de 22 et numérotés en chiffres romains de I à XXI, le *Mat* ne portant pas de chiffre.
I. Le Bateleur (le savoir-faire)
II. La Papesse (le mystère)
III. L'Impératrice (la fécondité)
IIII. L'Empereur (la protection)
V. Le Pape (la domination)
VI. L'Amoureux (l'hésitation, l'indécision)
VII. Le Chariot (le triomphe)
VIII. La Justice (l'équilibre physique et moral)
VIIII. L'Hermite (la prudence)
X. La Roue de la Fortune (le changement)
XI. La Force (la confiance)
XII. Le Pendu (l'expiation, le rachat)
XIII. La Mort (la transformation)
XIIII. La Tempérance (l'économie)
XV. Le Diable (la fatalité, la maladie)
XVI. La Maison Dieu (les déceptions)
XVII. L'Etoile (l'espérance)
XVIII. La Lune (les dangers)
XVIIII. Le Soleil (le bonheur, la prospérité)
XX. Le Jugement (l'inattendu)
XXI. Le Monde (le succès, la réussite absolue)
Le Mat (l'inconséquence)

2e partie

Composée de 16 **arcanes mineurs** représentant des personnages ou Têtes, tels que :

4 Roys représentant les hommes
4 Reynes représentant les femmes
4 Cavaliers représentant les événements
4 Valets représentant les jeunes personnes

Ces *Têtes* sont suivies de 4 séries de *Lames* qui possèdent un symbole :

Bâtons : intelligence, idées
Coupes : amour, sentiments affectifs
Epées : action, lutte
Deniers : matérialisme, argent

Ces 4 séries comptent 10 lames chacune et portent des points, ce qui constitue la 3e partie du jeu, soit **40 arcanes mineurs**, énumérés ci-dessous :

3e partie

Les I signifient l'inspiration
Les II, la dualité
Les III, la fécondité
les IIII, la nouveauté, l'invention
Les V, la domination
Les VI, les obstacles, l'imprévu
Les VII, le triomphe
Les VIII, le tourment, la maladie
Les VIIII, le devoir, les responsabilités
Les X, les transformations, les bouleversements.

Cérémonial

• Tirage pyramidal

1. Brasser les 78 lames de la main droite, en les tournant sur la table, de droite à gauche, en cercles concentriques.
2. Prendre dans la main gauche le paquet de 78 cartes.
3. Jeter sur la table, faces cachées, les 6 premières cartes que vous réunissez en une seule pile.
4. Faire ainsi 13 piles de 6 cartes, alignées de gauche à droite.
5. Découvrir les 13 cartes du dessus, les aligner à part, face visible. Elles constituent la base de la pyramide.
6. Ecarter définitivement les piles de chaque extrémité. Il en reste 11. En découvrir les cartes qui seront alignées au-dessus de l'autre rangée.
7. Recommencer l'opération avec 9,7,5, et 3 cartes, en éliminant chaque fois deux piles à chaque tour. Six rangées seront obtenues dont la plus haute est de 3 cartes.
8. Reprendre les piles éliminées progressivement et les mettre en un seul paquet. Les brasser, couper de la main gauche : la lame de la coupe est celle de la surprise et sera posée au sommet de la pyramide.

• Interprétation

L'interprétation se fait en fonction de la signification des lames.

• Quelques cartes du tarot Maddonni

Carte nº 1 *Le Bateleur*

I

Le Bateleur
The Magician

Bien sûr on reconnaît les matières symboliques de la carte *Le bateleur* du Tarot de Marseille, malgré les différences de couleurs, de mouvements gestuels et d'objets ; mais qu'importe le contenu de la carte pourvu qu'il y ait une ivresse divinatoire !

Sous la recherche esthétique se cache la même inquiétude qui motivait les imagiers d'antan dans leur quête de trouver des formes et des couleurs qui puissent séduire les providences et conjurer les mauvais sorts.

Selon le livret explicatif cet arcane représente le savoir-faire ; elle donne au consultant qui la tire une grande résistance nerveuse, ainsi qu'une confiance en soi développée.

Carte nº 2 *La Papesse*

La Papesse du tarot Maddonni est peu orthodoxe ! Les grands mouvements de la coiffe et du manteau ont été conservés avec une amplitude suggestive ; le cotonneux et l'ovoïde du manteau évoque le milieu clos, l'utérus, la coquille où croît le germe initial, dans le secret et le mystère du sein maternal.

Le message est à l'instar du flou des formes ; le consultant qui tire cet arcane est informé qu'il est entraîné vers des «choses mystérieuses». Mais la carte affirme également que des possibilités d'héritage, de fertilité financière sont mises en évidence.

Carte n° 6 *L'Amoureux*

Il y a toujours un Cupidon expert à piquer les cœurs lorsqu'apparaît un arcane où l'amour est roi.
La carte *L'Amoureux* du tarot Maddonni ne faillit pas à l'us mais elle le fait avec discrétion quant au personnage de Cupidon lui-même en insistant sur l'arme. L'archer plane toujours sur les têtes amoureuses et les visages sont graves d'une attente amoureuse. L'amour tarotique est-il si triste ?

Il est vrai que le message de cette lame n'est pas équilibrant ; il est dit que le consultant hésitera, sera troublé, confus et abîmé d'illusions affectives. Le jeu de l'amour et du hasard n'aura pas de gagnant, peut-être quelque tricheur...

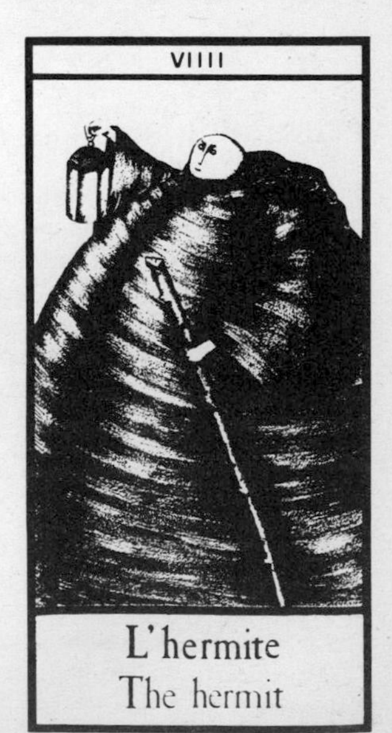

Carte n° 9 : *L'Hermite*

Mi-Diogène porteur d'une lanterne pour « connaître » mais aussi d'un bâton pour « s'affirmer », mi-baudruche — il fut un temps où l'on appelait cette membrane élastique peau divine, parce qu'elle guérissait les coupures — le personnage dessiné sur cette carte n° 8 et distingué sous le nom d'Hermite est gonflé de rêves ésotériques, de sciences occultes ; il est bouffi de vérités qu'il pense profondes et bouffon d'un savoir solitaire. Il est célibataire et oblige le consultant à réfléchir à la bonne moralité, à la bonne respectabilité ; il est cependant bénéfique parce qu'il éclaire et guide.

Cavalier de Coupe

Cavalier de Coupe
The Knight of Cups

Il s'agit d'une carte indiquant au consultant qu'il est en pleine évolution sentimentale. Cet arcane propose des changements d'orientation, des bouleversements affectifs.

Tarot d'Epinal

L'imagerie populaire au service de la divination
L'Imagerie Pellerin installée dans les Vosges depuis 1796 a édité, vers les années 1830, un tarot dit *d'Epinal* inspiré du Tarot de Marseille. Les figures de ce tarot, tout en obéissant à la symbolique des noms, des objets et des personnages du Tarot de Marseille, offrent un échantillonnage de l'imagerie populaire telle que la fabrique de Pellerin « imprimeur-libraire à Epinal » en avait le secret.

Si ce n'est la beauté des gravures typiques de l'art des images, ce tarot n'apporte pas d'éléments nouveaux. Les méthodes de divination sont classiques et les significations des 22 arcanes qui composent le jeu ne contiennent pas de messages particuliers autres que ceux, toujours simples à comprendre, du Tarot de Marseille.

Le recueil explicatif joint au coffret est d'une lecture facile et permet un tirage de cartes sans sophistication.

• **Voici quelques exemples de cartes du tarot d'Epinal**

Carte n° 8

La Justice

Dame Justice, une balance à la main, un glaive dans l'autre, informe le consultant que «… seul un pouvoir régulateur de l'ordre universel peut apporter l'équilibre… »

Carte n° 6

L'Amoureux

Cupidon couché sur un nuage, toute flèche allumée, s'intéresse à trois personnages : deux jeunes femmes et un jeune homme. Le message de la carte est évident : «Le consultant est amoureux et un prochain mariage est prévisible; celui-ci se déroulera dans des conditions heureuses...»

Tarot persan de Madame Indira

Ce genre de tarot fait intervenir le magnétisme dans la mesure où il est assuré que «... le possesseur du jeu, par le simple fait de le tenir en main, acquiert une paix intérieure et une sérénité qui ne sont pas sans peser heureusement sur la vie... »

De plus, tel qu'il a été conçu, réalisé et expliqué «... grâce à des enseignements légués par une civilisation des plus mystérieuses, il permet au simple particulier comme au professionnel de la divination d'échapper aux dimensions d'un univers fermé pour jeter un regard clair et lucide sur l'avenir... ».

Ce Tarot est ainsi à la limite du jeu de cartes divinatoires puisqu'il propose autre chose que des messages sur le devenir d'un consultant et des conseils sur ses orientations.

L'idée de *magnétisme* est séduisante lorsque celui-ci est positif, mais ce terme de physique explique également des propriétés d'aimantation et d'attirance qui ressemblent à du déterminisme. Mais dans le cas d'un tarot, le magnétisme qui s'en dégage ressemble à celui des médecins-alchimistes qui obtenaient des guérisons, jugées miraculeuses, grâce à leur pouvoir occulte que l'on appelle de nos jours *sympathie* !

Composition et cérémonial du Tarot persan de Madame Indira

Composition du jeu

Le Tarot persan de Madame Indira est un jeu de 55 cartes, réparties de la manière suivante :

• **19 cartes** représentant différents sujets, tels que :
— la Sorcière
— la Panthère Noire
— le Tigre
— la Mort
— le Bateau
— la Roue des Poissons
— les Flambeaux
— le Paon
— la Sultane avec l'Enfant dans les bras
— le Coffre
— le Soleil
— la Main de Fatma
— la Maladie
— les Nouvelles
— la Maison
— la Fidélité
— les Fiançailles
— la Rupture
— l'Ile

• **28 cartes**
Roi et Dame de Trèfle
Roi et Dame de Carreau
Roi et Dame de Pique
Roi et Dame de Cœur

Chaque couple représentant une couleur est suivi d'une série de 5 cartes, soit :

— pour les Trèfles : les Ecus
— pour les Carreaux : les Faucilles
— pour les Piques : les Cimeterres
— pour les Cœurs : les Cœurs.

• 4 cartes représentant les Cavaliers

• 4 cartes représentant les Chouettes.

• **Cartes représentant le consultant**
Femme blonde : Reine de Cœur
Femme brune : Reine de Trèfle
Homme blond : Roi de Cœur
Homme brun : Roi de Trèfle

Les rois valent 9 points
Les reines, 7 points
Les cavaliers, 3 points
Les as, 20 points

Cérémonial

Avant tout tirage, sortir la carte du consultant et la poser devant lui.
• Battre les 55 cartes devant le consultant et couper en 3 paquets. Le consultant désigne un paquet.
• Mettre la première carte du paquet désigné sur la carte du consultant.
• Prendre sous chaque paquet la dernière carte, et les disposer, faces cachées, en croix.
• Rassembler les cartes et recouper en 3 paquets. Le consultant désigne à nouveau un paquet.
• Prendre de nouveau la première carte du paquet désigné et la dernière carte de chaque paquet, ainsi que la première carte de chaque paquet. Disposer les 10 cartes en cercle.
• Rassembler les cartes, recouper en 3 paquets. Prendre encore une fois les premières cartes de chaque paquet. On dispose maintenant de 14 cartes qui sont placées en cercle.

- Le consultant retourne la carte qui se trouve sur celle qui le représente : 1re interprétation.
- Retourner la 5e carte en partant de celle du consultant, dans le sens des aiguilles d'une montre : 2e interprétation.
- Puis continuer l'interprétation en retournant les cartes de 5 en 5 (en sautant celles qui sont déjà retournées).

Interprétation

L'une des particularités du Tarot persan de Madame Indira est l'absence de message sur les cartes. Il n'est donc pas possible de faire une lecture directe comme dans nombre d'autres tarots et autres jeux de cartes divinatoires.

Le recueil joint au coffret des cartes explique clairement les messages, carte par carte. Il est aisé de constituer une «phrase divinatoire» en prenant connaissance des mots et courtes explications qui se trouvent en regard de chaque carte.

Les messages de ce tarot sont sans ambages ; ils n'utilisent pas de périphrases sophistiquées pour affirmer un fait, un événement, un sentiment. Cette franchise dans l'exposé des interprétations est intéressante puisqu'elle permet d'avoir des réponses précises à des questions précises et des réponses brutales à des questions non posées, mais elle peut être dangereuse pour les esprits sensibles qui prennent «au pied de la lettre» les affirmations énoncées. Le conseil de nuancer les messages peut être donné à la fois au cartomancien qui lit les cartes et au consultant qui écoute les commentaires.

Par exemple, la carte *La Sultane avec l'enfant dans les bras* apporte la joie d'une naissance et l'assurance d'une fécondité. Mais lorsque cette carte est accompagnée d'un *Roi de Pique*, ils est indiqué : «la consultante subira une opération, pour être féconde, qui réussira très bien...».

Malgré l'optimisme des messages, il est possible qu'une telle annonce peut jeter un certain trouble dans l'esprit des consultants !

Voici quatre exemples des cartes du Tarot persan de Madame Indira

Le Paon

L'animal porte dans son bec une lettre. Les couleurs de la carte sont magnifiques de délicatesse.

Le message de la carte est simple : le consultant recevra des nouvelles inattendues, soit une lettre d'ami soit un courrier de parent.

La Panthère noire

Différentes interprétations sont possibles à cette carte en fonction des autres cartes qui l'accompagnent.

D'une manière générale le message est à la jalousie d'autrui, à la sensualité et à l'influence de l'entourage qui pourra être bénéfique ou maléfique.

Le Roi de Cœur

Pour une consultante, cette carte symbolise « l'homme » — l'amant, le mari, le protecteur, le père... — qui peut avoir une influence et un rôle très favorable. La carte donne également un présage de réussite et de chance.

Le Cavalier de Cœur

Cette carte signifie d'une manière générale «... de l'amour, de la réussite, de la chance, mais aussi du désespoir et de l'attente... ».

Son importance s'accroît et ses messages s'amplifient selon son environnement. Ainsi lorsque les quatre Cavaliers sont réunis, il est présagé des rencontres amicales ; lorsqu'ils ne sont que trois, il est prévu une rentrée d'argent.

Le Grand Indira

Le Grand Indira ou Tarot hindou complète la série des tarots de Madame Indira.

Le *Grand Indira*, dont les cartes sont les plus grandes de tous les tarots existants (10,5 × 16,5 cm), ne possède que 30 cartes représentant chacune un personnage qui semble sorti des contes des Mille et une Nuits et du Livre de la Jungle. On y trouve des Radjahs, des Maharanis, des Najas, des Boudhas, des Mowgli...

Le coffret des cartes contient un livret qui explique les méthodes de tirage : le Neuf sacré, les Six incarnations et les Cercles magiques, ainsi que la signification détaillée de chaque carte.

Le Grand Indira insiste surtout sur les possibilités d'acquérir un don de clairvoyance que ces grandes cartes sont censées donner.

Le tarot Arista

Dans le but de donner aux praticiens un jeu de cartes divinatoires obéissant avec scrupule au symbolisme du tarot initial, dont le Tarot de Marseille, mais facile d'accès, des maîtres-cartiens, aidés par des cartomanciens et autres experts en symboles ont créé le *tarot Arista*.

Le tarot classique sert de base mais les images ont été expliquées par de courtes phrases et des mots-clés qui permettent une compréhension rapide des messages tarotiques.

Chaque carte du tarot *Arista*, compte tenu du système «envers-endroit» qui est utilisé lors du cérémonial, possède des explications doubles. La lecture des cartes se fait alors à l'endroit et à l'envers.

Les messages écrits sont parfaitement clairs; le mérite de ce tarot est d'avoir «désotérisé» certains commentaires, si bien que le consultant se trouve en possession de maximes, de corps de phrases parfaitement intelligibles.

• Illustration de quatre cartes du Tarot Arista

Les dessins sont ceux du Tarot de Marseille, plus stylisés et sans couleur. Le symbolisme est observé au niveau des gestes, des personnages et des allégories. L'invention consiste à avoir indiqué sur chaque carte les messages, afin d'éviter des références à des livrets explicatifs.

Carte nº 6 — *Les Deux Routes*

ou l'*Amoureux* dans le Tarot de Marseille.

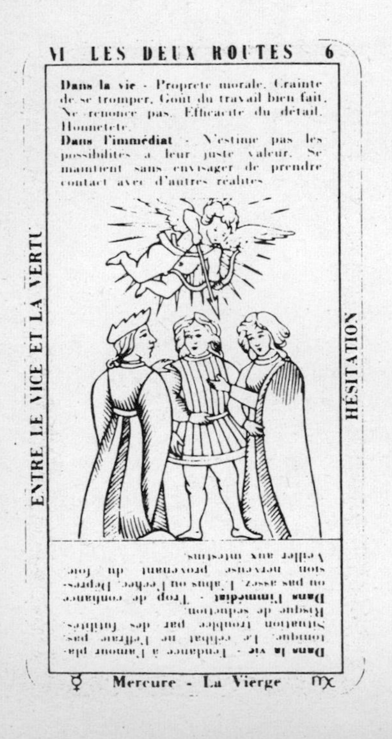

Carte n° 10

Le Sphinx

ou la *Roue de Fortune* dans le Tarot de Marseille.

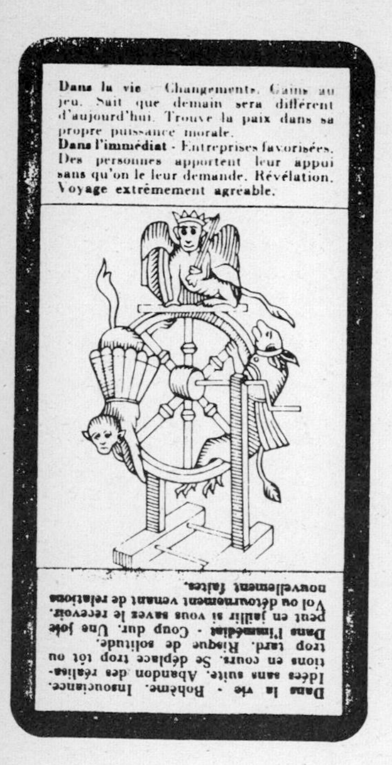

Carte n° 11

La Force

Carte n° 22

Le Fou

Tarot du Yi - King

Les livres sacrés chinois et la divination

Les amateurs de sensations magiques, les experts en pensées ésotériques et enfin les intuitifs riches en clairvoyance ont toujours été tentés par les philosophies chinoises. Et pour cause ! Les recueils de maximes philosophiques, les livres sacrés de Confucius à Lao — Tseu et les sentences du Tao Te King, pour qui sait lire entre les signes de l'écriture chinoise et mieux encore entre les traits des 64 hexagrammes des combinaisons Yin-Yang, ont le privilège de contenir des messages divinatoires.

Les textes sacrés chinois sont difficiles d'accès pour les esprits non orientaux. Ainsi le livre du Yi-King, dans sa traduction d'origine, est merveilleux de poésie mais peu cohérent pour une pensée cartésienne. Vouloir expliquer l'inexplicable n'est pas facile ! Il s'agit d'une entreprise que seuls les êtres désireux de se mesurer avec l'Absolu et l'Impossible — afin de se prouver peut-être qu'il existe à défaut d'avoir d'autres sages raisons — osent tenter.

Or le Yi-King peut être considéré par certains côtés de ses

natures, de ses formes et de ses règles, comme une exemplaire méthode de divination ; il contient en effet tout ce qu'il est possible d'inventer comme matériel de divination, procédé de lecture et possibilités de concordance jusqu'à l'infini de tous les symboles, chiffres, lettres et systèmes qui tentent d'expliquer sa destinée à défaut de la dominer.

Ce Yi-King ne pouvait que séduire les esprit créateurs d'originalités oraculaires.

Ses traducteurs « en forme et en fond » avaient donc deux préoccupations : être compréhensible dans l'enseignement de la sagesse du Livre tout en y restant fidèle.

Et le Tarot oriental *Yi-King* fut imaginé.

Le matériel de consultation

Le coffret contient
— 64 cartes-tarots proposant 64 hexagrammes prophétiques
— 16 cartes-tarots (2 fois 8) où se lisent les trigrammes divinatoires
— 3 pièces pointées recto-verso
— 1 tableau initiatique
La méthode de consultation est basée sur la lecture des hexagrammes, mais avant d'en arriver à assimiler et à adapter les messages obtenus à ses problèmes et préoccupations, le consultant doit suivre un cheminement qui n'est peut-être pas étranger à un secret souhait d'imposer une initiation.

Que ceux qui n'ont pas la patience, la réflexion et le désir profond d'obéir à ces consignes de Tao-guidage n'espèrent rien!
Par contre que ceux qui acceptent:
○ d'inscrire leurs questions sur une fiche,
○ de tracer des lignes sur une feuille de marque,
○ de lancer les 3 pièces vers le ciel et d'attendre qu'elles retombent,
○ de totaliser les nombres de points obtenus,
○ de recommencer le jet des pièces 6 fois de suite,
○ de tracer les symboles correspondants aux points,
○ de diviser en deux l'hexagramme obtenu afin d'avoir deux trigrammes,
○ de rechercher sur le tableau initiatique le numéro de la carte-tarot à étudier,
○ et enfin de lire la Carte qui contient la réponse tant attendue à la question posée...
soient heureux et rassurés car les voies divinatoires du tarot Yi-King leur sont ouvertes:

Le livret explicatif qui se trouve dans le coffret, façonné avec élégance par le maître-cartier J.-M. Simon est compréhensible pour les non-initiés; il explique avec des illustrations attractives le cérémonial qui, il faut cependant l'avouer, est fastidieux pour les gens pressés; or, qui n'est pas pressé de connaître son destin ? Et pourtant, lorsque les jeux sont faits, quelle richesse d'enseignement. Toutes les facettes de l'âme et de l'esprit humains sont éclairées avec une telle acuité qu'il semble que le fatras des calculs et des combinaisons soient bien élémentaires pour arriver à un tel résultat. Peut-être est-ce une feinte de la part des grands sages — comme on dit les grands sorciers — des arts divinatoires, afin de fatiguer les hésitants, les paresseux, les faux Cassandre. Cette technique, sous une autre forme, était déjà celle de Protée, ce vieux dieu de la mythologie grecque, gardien de phoques et devin à ses heures, qui effrayait les consultants en prenant toutes sortes de visages et en se déguisant en courant d'air avant d'accepter de dévoiler leur avenir.

Quelques exemples des cartes du tarot oriental Yi-King

Les cartes de ce tarot sont de toute beauté.* Indépendamment des messages écrits et des traits courts et longs qui les ponctuent, les dessins qui expliquent ou mieux, qui traduisent la pensée du Yi-King sont d'une finesse extrême. Petit chef-d'œuvre miniature, décor d'un mini-théâtre jouant des pièces symbolistes, chaque carte contient les composantes éternelles de la poésie picturale chinoise et japonaise : le jardin, la montagne, l'oiseau, le poisson, l'arbre, le rocher... ; et ces paysages irréellement vrais ne font qu'accentuer cet état de réceptivité privilégié propice aux manifestations de l'intuition.

* La carte *Siao Tch'* ou *Le Pouvoir du Faible*, n° 9, porte le nom de l'artiste, Monique Arnold, qui a peint et conçu les images du tarot Yi-King.

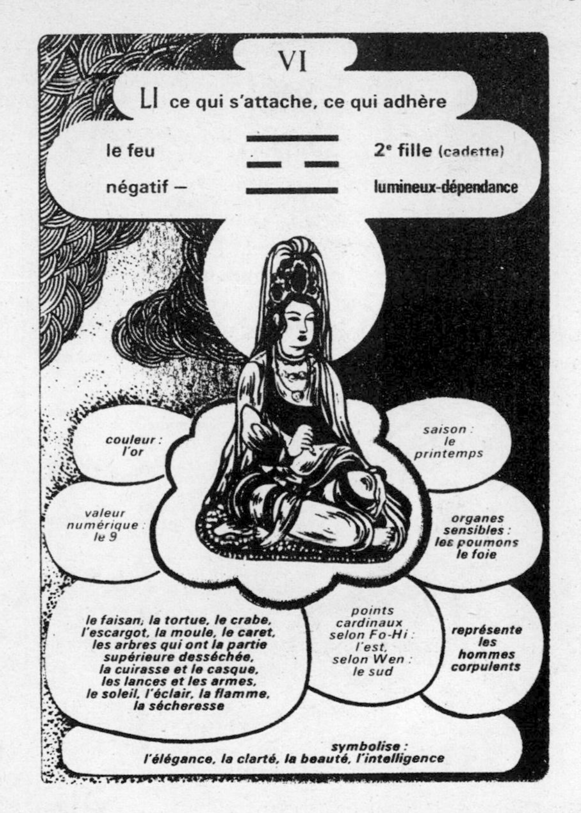

Cette carte n° 6 fait partie des 16 cartes où se lisent les trigrammes divinatoires. Il y a en réalité huit trigrammes fabriqués avec les traits-forces *Yin* et *Yang*. La merveilleuse orfèvrerie de la pensée chinoise, mélange de philosophie, de connaissances divinatoires a comme pivot ce trait continu symbolisant le *Yang*, soit l'homme, l'énergie active, le grand principe mâle et ce trait double symbolisant le *Yin*, soit la femme, l'énergie adoucie, le grand principe femelle.

Cette carte n° 6 appellée *Li* explique le rapprochement ou la séparation, puis toute une suite d'animaux, d'événements, de fruits et d'éléments: faisan, reptile, tortue, soleil, feu, éclair, arme, fruit sur une tige...

Cette carte n° 58 a nom *Touei*, qui s'écrit aussi *Tui*. La traduction proposée est *La sérénité*.

Il y a deux manières de «comprendre» le message. La première consiste à lire les phrases écrites et à transformer les affirmations un peu moralisatrices en prévisions cadrées selon le ton général donné par le titre.

La deuxième manière est plus intellectuelle puisqu'il s'agit de décomposer l'hexagramme formé de 6 traits (les uns doubles et courts, les autres uniques et longs) tel que peut le faire un opérateur expert en Yi-King. Ce travail interprétatif correspondant davantage à la méthode de divination au moyen de baguettes.

Dans le présent tarot cette carte n°58 fait partie des 64 cartes proposant les hexagrammes prophétiques .

Table des matières

Introduction 7

Propos sur la cartomancie 9
Tout le monde fait de la divination 11
Au commencement furent des images 11
De l'image à la carte 12
Les sources de la cartomancie 15
Le fond et la forme 17
Les images des tarots :
l'itinéraire du processus d'individuation 19
L'art et la manière de tirer les cartes 23
L'art et la manière d'interpréter les cartes 25

Les différents jeux de tarot 29

Le tarot de Marseille 31
Illustrations et interprétation des cartes du Tarot de Marseille 34
Les 22 arcanes majeurs 34
Les arcanes mineurs 46
Le tirage des cartes 50
○ La croix 50
Le tableau du symbolisme de l'espace 52
— Interprétation de la méthode de la croix 53
— Un tirage de cartes à titre d'exemple 54
○ L'horloge 58
Le tableau du symbolisme des heures 59
— Un exemple du cérémonial de l'horloge 63

Le jeu de cartes ordinaires 71
L'interprétation des cartes ordinaires 72
Les huit Carreaux 72
Les huit Cœurs 74
Les huit Trèfles 77
Les huit Piques 79

Le tirage des cartes 83
○ Le tirage par trois cartes 83
— L'interprétation du tirage par trois cartes 84
— Un exemple 85
○ Le tirage en croix 86
— L'interprétation du tirage en croix 87
Le tableau des associations 87
— Un exemple de tirage de cartes avec son interprétation 90

Le Grand Etteilla 95
Composition du jeu 96
Illustration et signification des cartes du Grand Etteilla 98
Cérémonial classique 139
L'interprétation 140
Le voisinage des cartes 141
Les rencontres des cartes 141

La Sybille des Salons 143
Composition du jeu 145
Analyse et illustration des 52 cartes 145
Cérémonial du tirage des cartes 173
Un exemple 175
L'interprétation 176

Le Grand Jeu de Mademoiselle Lenormand 179
Composition du tarot 181
Détail d'une carte 183
Signification des cartes 184
Les cérémonials de tirage 237

Petite encyclopédie des jeux de cartes divinatoires 239

Astrocard's 243
Le guide divinatoire 245
Les douze cartes astrologiques 247
La facilité de manipulation et de lecture 247
La numérologie 249

Oracle Belline 251
Composition du tarot Belline-Edmond 251
Le cérémonial 255
Quelques exemples de cartes de l'Oracle Belline 255

Cartomantic 259
Composition du jeu 260
Cérémonial 261
Quelques exemples de cartes du tarot Cartomantic 263

Le Livre du Destin 265
Quelques commentaires sur les cartes 267
Les méthodes de divination 269

Le Petit Cartomancien 271
Quelques exemples de cartes 272

Le tarot Maddonni 275
Composition du jeu 276
Cérémonial 278
Quelques cartes du tarot Maddonni 279

Tarot d'Epinal 283
Quelques exemples 284

Tarot persan de Madame Indira 287
Composition et cérémonial 289
Interprétation 292
Quatre exemples de cartes du Tarot persan 293
Le Grand Indira 297

Le tarot Arista 299
Illustration de quatre cartes 300

Tarot du Yi-King 303
Le matériel de consultation 305
Quelques exemples des cartes
du tarot oriental Yi-King 306

Astrologie
Sciences occultes

ABC de l'astrologie (L'), De Caumon Paoli D. .... GM 026 [04]
Astrologie arabe (L'), Suzzarini F. .... MS 700 [06]
Astrologie aztèque (L'), Montes C. .... MS 703 [06]
Astrologie égyptienne (L'), Suzzarini F. .... MS 593 [06]
Dictionnaire de l'astrologie, Curcio M. .... MS 388 [06]
Encyclopédie des arts divinatoires, Belline .... MS 697 [06]
Guide pratique d'astrologie, D'Ambra G. .... MS 482 [07]
Lune et des influences lunaires (GM de la), Virgatchik I. MS 565 [04]
Tables graphiques d'astrologie, D'Ambra G. .... MS 483 [09]

Les signes du zodiaque

Connaissez-vous par votre signe astral,
De Gravelaine J. .... MS 318 [04]
Guides astrologiques, Maisonblanche F. ....
Balance .... MS 464 [06]
Bélier .... MS 470 [06]
Cancer .... MS 461 [06]
Capricorne .... MS 467 [06]
Gémeaux .... MS 460 [06]
Lion .... MS 462 [06]
Poissons .... MS 469 [06]
Sagittaire .... MS 466 [06]
Scorpion .... MS 465 [06]
Taureau .... MS 471 [06]
Verseau .... MS 468 [06]
Vierge .... MS 463 [06]
Votre signe astrologique et l'amour, Maisonblanche F.
Balance et l'amour (La) .... MS 807 [04]
Bélier et l'amour (Le) .... MS 801 [04]
Cancer et l'amour (Le) .... MS 804 [04]

Capricorne et l'amour (Le) .... MS 810 [04]
Gémeaux et l'amour (Les) .... MS 803 [04]
Lion et l'amour (Le) .... MS 805 [04]
Poissons et l'amour (Les) .... MS 812 [04]
Sagittaire et l'amour (Le) .... MS 809 [04]
Scorpion et l'amour (Le) .... MS 808 [04]
Taureau et l'amour (Le) .... MS 802 [04]
Verseau et l'amour (Le) .... MS 811 [04]
Vierge et l'amour (La) .... MS 806 [04]

Esotérisme/Divination

Cartomancie (GM de la), Maisonblanche F. .... GM 019 [07]
Chiromancie (GM de la), Bashir M. .... MS 374 [06]
Dictionnaire des superstitions et des croyances populaires,
Canavaggio P. .... MS 339 [06]
Dictionnaire Marabout des sciences occultes,
Tondriau J. .... MS 491 [06]

Psychologie Education

Psychologie / Psychanalyse

Comprendre les femmes, Daco P. .... MS 250 [09]
Dictionnaire des rêves, Uyttenhove L. .... GM 046 [06]
Interprétation des rêves (L'), Daco P. .... MS 341 [07]
Mystères de l'amour (Les), Dr. Moigno Y. .... MS 020 [N]
Mystères de l'homme (Les), Dr. Moigno Y. .... MS 786 [07]
Mystères de la femme (Les), Dr. Moigno Y. .... MS 787 [07]
Prodigieuses victoires de la psychologie moderne (Les), Daco P. .... MS 015 [09]
Triomphes de la psychanalyse (Les), Daco P. .... MS 029 [09]
Voies étonnantes de la nouvelle psychologie (Les), Daco P. .... MS 480 [09]

Psychologie et personnalité

Art de la négociation (L'), Depré T. .... MS 654 [04]
Belles, intelligentes et seules, Cowan & Kinder .... MS 780 [07]
Comment résoudre soi-même ses problèmes psychologiques, Samuel L. .... GM 074 [07]
Communication facile (GM de la), Adler M. J. .... MS 626 [06]
Connaissez-vous par la forme de votre visage, Uyttenhove L. . MS 525 [04]
Connaissez-vous par la numérologie, Maisonblanche F. MS 426 [06]
Connaissez-vous par votre écriture, Uyttenhove L. ...... GM 052 [07]
2000 citations pour réussir, Uyttenhove L. .... MS 071 [N]
Ecriture et personnalité, Julien N. .... MS 575 [04]
Elle et lui en 2000 citations, Uyttenhove L. .... HC 59 FF
Etes-vous auditif ou visuel, Lafontaine R. & Lessoil B. MS 630 [06]
Guide de la réussite (Le), Curcio M. .... MS 707 [06]
Parler en public, Pacout N. .... GM 095 [N]

Se faire des amis, Suzzarini F. .... MS 625 [06]
Soyez génial ça s'apprend, Suzzarini M. & F.- Magendie O. .... MS 696 [06]
3000 citations du bonheur, (Les) Uyttenhove L. .... HC 59 FF
3000 mots d'amour, Uyttenhove L. .... MS 746 [07]
Vaincre sa timidité, Suzzarini F. .... GM 054 [06]

Tests

Connaissance de soi par les tests (La), Depré T. .... MS 637 [04]
15 tests pour connaître les autres, Gauquelin M. & F GM 015 [06]
Tests du bonheur (Les), Drouin C. .... MS 735 [06]
20 tests pour se connaître, Gauquelin M & F. .... GM 020 [06]